LOOPING

Née en 1971, à Nantes, Alexia Stresi a toujours voulu inventer, rencontrer, écrire. Poursuivant des cours de langues, lettres et philosophie, elle a aussi étudié à la FAMU, l'école de cinéma tchèque où Kundera, Forman et Kusturica – anciens élèves – donnaient des conférences, puis a suivi Milos Forman à la Columbia University de New York, section scénario. Elle a passé un an à la Villa Médicis de Rome. Elle a ensuite été comédienne (Doillon, Rochant…) et scénariste. Aujourd'hui, elle publie son premier roman, *Looping*.

ALEXIA STRESI

Looping

ROMAN

STOCK

© Éditions Stock, 2017.
ISBN : 978-2-253-07152-5 – 1re publication LGF

M'illumino d'immenso[1]

Giuseppe Ungaretti

Pour Adèle et Lucie

1

Le moment vient de basculer en séquence de dessin animé. Ma grand-mère a parfois cet effet sur la vie. En tout cas, elle l'a sur moi. L'heure a beau être grave, je me retrouve projetée en plein épisode des *Fous du volant*, l'aéroclub toscan devenu cabane de bout du monde, le pilote instructeur à mes côtés sa caricature bodybuildée portant Ray-Ban et sifflet strident. Le petit personnage ridicule me hurle dans les oreilles tous les points de législation que ma grand-mère est en train d'enfreindre. Une ambulance arrive en trombe, sirène hurlante, suivie du panier à salade d'un shérif patibulaire. Nos corps sont à l'oblique, cou cassé vers l'arrière, le regard rivé vers des nuages dodus et blancs, si mignons qu'on voudrait les croire innocents. N'empêche, si tout le monde entend le bruit d'un gros bourdon dans le ciel, personne n'arrive à repérer la bestiole. Si, la voilà ! La Démone Double Zéro Grand Sport de Satanas émerge d'un nuage en forme de chou-fleur et nous passe en rase-mottes au-dessus de la tête. Tout le monde voit distinctement ma grand-mère nous faire le même sourire en dents de scie que le chien Diabolo.

J'ai eu du mal à la convaincre d'accepter ma proposition. *Nonna*[1] Noelie ne va pas bien ces derniers temps. Depuis la mort de son mari, elle ne se ressemble plus tout à fait. Allait-elle résister longtemps au plaisir de piloter à nouveau ? Elle a essayé. Son cœur n'était plus en état d'encaisser des facteurs de charge, il risquait de lâcher. Eh bien si ton cœur doit lâcher, qu'il lâche, ce sera une mort splendide. La mécanique aérodynamique a dû évoluer depuis le temps, elle n'allait rien comprendre aux cadrans d'un cockpit moderne. Tiens, voilà le manuel du Cessna 152 Aerobat. Il te suffit de potasser. Tu verras qu'une gouverne s'appelle toujours une gouverne et qu'on a laissé l'horizon au même endroit. De toute façon, qui confierait un avion aux réflexes d'une vieille femme ? Là, elle avait raison. Personne, en effet. Je ne lui ai pas dit et j'ai bataillé ferme. J'ai écumé tous les aéroclubs d'Italie, brandissant sous des nez sceptiques le vieux brevet de pilotage de Noelie, moitié écrit en arabe. Produit sans ciller autant de (faux) certificats médicaux qu'on m'en demandait, jusqu'au jour où je suis enfin tombée sur un directeur d'aéroclub friable. J'ai vérifié sur lui l'effet de mon grand sourire. L'ironie veut que ce soit précisément de ma grand-mère que je le tienne. Le

---

1. Grand-mère, en italien.

plus souvent, il me facilite la vie. Cette fois, c'était plus grave, il venait de m'obtenir une autorisation de vol. En biplace école, certes.

Me voilà au bord du tarmac, à me répéter qu'on a toujours raison de vouloir faire plaisir. J'ai été élevée comme ça, dans un monde de cartoons où les braves triomphent forcément à la fin. Dans le pire du pire des cas, reste le parachute, et ma grand-mère viendra se poser comme une perle de rosée sur un clocher d'église. Tout va bien. Des fumigènes multicolores tracent des lettres derrière le coucou. Un «M», un «E», un «R», un «C»... Nonna me dit MERCI!

La réalité est à peine différente. Avec un bruit épouvantable, le Cessna plonge en piqué vers le sol. Au tout dernier instant, au lieu de s'écraser, il fait un touch-and-go sur la piste, y sautille deux fois, puis remonte en cahotant dans le ciel. Je sais ce que cela signifie. Dans l'intimité de l'habitacle, l'instructeur vient de passer les commandes à son élève. Dans leur jargon, ils appellent ça un «lâcher». J'espère que ce monsieur sait ce qu'il fait. Ou bien ma grand-mère l'a-t-elle tout simplement assommé.

Le directeur de l'aéroclub se rapproche de moi en se raclant la gorge. On se sourit. À se regarder sans rien se dire, on a sans doute l'air bête.

— C'est un lâcher, me dit-il.

J'opine.

— Je ne vous cache pas que je suis un peu étonné.

Moi pas.

Vu sa tête, lui pense assurances, fermeture administrative et chômage technique pour sept personnes. C'est maintenant que ça se joue, sans qu'on puisse rien y faire.

Après une montée verticale, le Cessna s'installe ailes à plat. Tout paraît tranquille. Puis, dans un mouvement souple, le petit avion commence une rotation pleins gaz. Il se cabre, passe sur le dos. Il est sur le dos. Nonna fait le cochon pendu à deux mille pieds du sol. Le sang doit affluer vers sa tête, la force centrifuge l'écraser à son siège. C'est combien de G, un looping ? Identifier les risques d'une voltige aérienne devient un jeu d'enfant si à l'intérieur du cockpit il y a votre grand-mère. Les secondes s'allongent. À côté de moi, le directeur de l'aéroclub jure entre ses dents. Les muscles de ses mâchoires tressaillent de fureur.

Là-haut, Noelie commence vraiment à s'amuser.

À cet instant précis, je sais que je veux raconter son histoire.

2

Je ne suis pas écrivain. Je ne sais pas comment on dit une vie. (Ni comment on la donne, je ne suis pas non plus mère.) Heureusement, il s'agit de ma grand-mère, je la connais bien. Comme tout le reste, la confiance me vient d'elle. Il suffit de se lancer.

L'histoire débutait à la fin du dix-neuvième siècle. Peu importe l'année, on sait le nom du village, Imperia[1]. C'est là qu'était née Camilla. Elle aurait pu plus mal tomber. L'unité italienne, toute récente, ne s'embarrassait pas d'égalité des chances. Il fallait naître sous le soleil, près de la mer, et sur une terre fertile pour que la prospérité y semble naturelle. Elle restait relative. Sans argent, on avait à manger. Sans savoir lire, on pouvait travailler. Sans espoir, on vivait heureux.

De toute façon, la question du bonheur ne se posait

---

1. Prononcer *Im'péria*.

pas à Camilla. Pas plus qu'à ses poules, qu'elle nourrissait au grain. Camilla avait pourtant deviné, sans jamais s'en être éloignée ni pouvoir comparer, qu'il y avait une douceur particulière sur cette côte ligure toujours tiède l'hiver et où les fleurs poussaient. Ailleurs, on le disait, c'était le chiendent. À Imperia, c'étaient les œillets. Au moins, on pouvait les vendre.

Le village était séparé en deux par le fleuve Impero, qui rejoignait une crique puis devenait la mer. Entre elle et la montagne, une étroite bande côtière courait de Vintimille à San Remo, toute de couleurs vives et de pétales précieux. Les oliviers étaient retranchés plus haut, où l'eau ne montait pas. Les agrumes avaient été poussés du côté d'Amalfi et le jaune des citrons à peau épaisse remplacé par celui des mimosas. À Imperia, on irriguait les champs. On s'y courbait en deux sur des boutures fragiles. Quand tout allait bien, on liait à la toute fin les fleurs en bouquets, emportés par le train vers Nice voisine ou dans l'empire d'Autriche-Hongrie.

Camilla aimait s'asseoir sur les rochers pour regarder l'horizon. Elle y serait allée souvent, s'il n'avait tenu qu'à elle. C'était du temps perdu. On l'attendait aux champs. Les hommes s'enroulaient les reins d'une épaisse ceinture de laine, qui éloignait les douleurs quand il fallait se relever, et épongeait la sueur. On évitait ainsi lumbagos et pneumonies. On mourait pourtant jeune. Les femmes portaient leur robe avec un tablier dessus, peu importe le motif ou la couleur, pourvu qu'il ait des poches où ranger les outils. Des

16

petits, comme pour la couture. Là, c'était pour les fleurs. Le soir, à la ferme, on ne comptait ni ses sous ni sa peine. On en avait assez.

Imperia avait de la chance. Ou plutôt du travail. Pas besoin d'émigrer en Amérique pour pouvoir se nourrir et on regardait bizarrement ceux qui le faisaient quand même. Comme la route serpentait à cause de toutes ces criques et de tous ces caps, les migrants étaient vite perdus de vue par ceux qui les jugeaient fuyards. Sitôt le premier virage, ils étaient disparus, ils étaient oubliés. On haussait les épaules, en plaignant en silence la famille qui venait de perdre deux bras d'homme pour les champs. C'était leur affaire.

Le soir allait tomber. Après les fleurs, il y avait encore les bêtes à s'occuper. Il fallait récupérer les chèvres pour les traire. Camilla brassait le fromage, comme elle avait toujours vu sa mère le faire, tandis que le père bourrait sa pipe avant de tirer sa première bouffée de la journée. Le repas n'était plus loin.

Enfant, Camilla traversait souvent le pont de l'Impero pour aller jouer à cache-cache dans les ruines du tremblement de terre de 1887. En grandissant, elle s'était lassée du patois piémontais du quartier d'Oneille. On y parlait noisettes, tandis que sur sa rive à elle tout n'était que fleurs. À dix-sept ans, c'est le plus souvent seule que Camilla allait s'asseoir sur son très haut rocher. On ne sait plus ce qu'elle se disait face à la mer. Un mélange de fatigue, de pensées comme du silence et rien d'inconfortable, sauf le rocher pointu sous les fesses. L'espoir ne venait pas troubler la paix d'Imperia. Camilla était à peine plus jeune que son pays. Son pays, c'était surtout son village.

Tout indiquait déjà qu'elle y ferait sa vie.

3

Le soleil était levé, Camilla non.

Les hommes s'occupaient de terrasser les *fasce* sur leur pan de montagne. Depuis quelques semaines, la construction de ces murs en pierres sèches prenait toutes leurs forces. Il n'y avait plus que des femmes aux champs. Elles n'y suffisaient pas, Camilla le savait. D'ordinaire, elle faisait volontiers sa part du travail et y serait déjà, ce matin comme les autres, si la nuit n'avait été si mauvaise. Il y avait eu des crampes et des rêves trop nombreux pour une fille honnête. Au matin, la certitude écrasante à caresser son ventre qu'il abritait un petit.

Comment est-il arrivé là ? Et elle ? Comment en était-elle arrivée là ?

Camilla revit le visage du militaire, les promenades sur la plage et les moments d'étreinte parmi tous les tissus. Le militaire parlait bien, il était drôle à sa manière. Là, fini de rire. Se lever, courir vers les champs du ponant, et surtout se taire. Sur le point de quitter la ferme, Camilla tassa la paille de sa couche. Elle y découvrit du sang. Relevant ses jupons, elle vit le même, le sien, qui coulait sur ses cuisses. En se lavant au broc, elle pensa au village : les bêtes seules dans l'étable le moment venu, les femmes en aidant d'autres, le sang, et les cris terribles de la délivrance. Doucement, on n'en était pas là. D'ailleurs, Camilla n'avait pas mal, pas trop. C'est donc qu'elle s'était trompée. Son ventre était vide, comme sa tête à nouveau.

Mais si, le diable était bien là. Quelques mois plus tard, en pleine récolte, Camilla le sentit bouger. Ce n'était encore qu'une bulle d'air remontant son ventre. Camilla faillit lui intimer de se tenir tranquille, mais elle se le reprochait déjà à elle-même. Elle porta et supporta son secret, en continuant de faire des ballots de fleurs, comme si de rien n'était.

L'œillet américain avait cru bon de demander des serres. Il les avait obtenues dans les grandes exploitations floricoles, où il poussait tout seul maintenant. C'est ce qu'on racontait. À quoi bon essayer de lutter contre le progrès et l'argent ? Ceux qui ne travaillaient qu'en famille, comme Camilla, sur leurs lopins de terre d'antan, s'étaient donc mis à la rose. La rose thé. Ça changeait. C'était plus difficile que le tri des boutons d'œillets. Il fallait dextérité, délicatesse et toute sa tête. Camilla avait son ventre.

— Tu comptes m'en parler après qu'il aura fait ses dents ? lui dit un jour sa mère.

Sur le versant du secret qui, comme le ventre, était devenu lourd, c'était une belle avancée.

— Et le père ? demanda la mère.

— Il ne le sait pas, crut pouvoir dire Camilla.

— Sssss… On a causé hier soir. Il n'est pas bien content.

Elles ne parlaient pas du même. Camilla avait un père, qui était donc furieux. Son enfant n'en avait pas. Il était reparti du côté de Gênes avec sa garnison, sans l'avoir informée de son départ prochain. De la présence des militaires à Imperia ne restait que du silence. Ils lui avaient pourtant donné, un temps, de vagues airs de petite sous-préfecture. Pendant des semaines, ils avaient acheté les surplus de fromage, des douzaines d'œufs chaque jour, et quelques bouquets de violettes pour attendrir les filles. Souvent, ça avait marché.

La preuve.

Camilla avait le souvenir du nom du soldat bien rangé dans sa mémoire, juste à côté de celui du chatouillis de sa moustache. Gênes n'était qu'à quelques dizaines de kilomètres. Au pire, même à pied… Elle pouvait l'y rejoindre, s'y marier, et toute sa vie le suivre où il irait.

— Un peu, c'est ça que tu vas faire ! lui conseilla son père.

Contrainte et forcée, le village offusqué ricanant dans son dos, comme si ça n'était jamais arrivé à personne, comme si ça n'arriverait plus à quiconque, Camilla était partie, toutes ses affaires retenues dans un baluchon porté sur l'épaule. Elle revint quelques jours plus tard, avec des ampoules aux pieds et d'autres mauvaises nouvelles. Parvenue devant la caserne de la garnison, elle n'avait pu qu'en constater le triplement de la taille. On aurait dit que là aussi, comme à Imperia, le fleuve était devenu la mer. Camilla n'avait qu'un nom à annoncer au gradé et pas de preuve, sauf son gros ventre. L'officier répondit d'un air affairé qu'il ferait de son mieux pour que l'intéressé s'intéresse. Ça pouvait prendre du temps.

— Nous sommes tout de même en 1909, mademoiselle, vous auriez pu utiliser le télégraphe ! Dans votre état… Maintenant, rentrez chez vous.

C'était vrai. La modernité avait du bon. Il aurait fallu y penser. Mais à Imperia on n'avait pas ce genre de réflexe. En l'occurrence, la modernité ne réglait pas tout non plus.

— C'est une fille ! annonça la femme.

Elle tirait sur un petit corps mauve pour le sortir.

— Ben voyons…, grommela le grand-père, depuis le banc de la cour où on l'avait mis à attendre.

— Noelie…, murmura Camilla, les yeux encore clos, le front encore humide, le bébé pas encore au sein.

Noelie comme Noël, car Camilla venait de décider que cette petite, ce serait un cadeau malgré tout.

4

Noelie suivit jusques aux champs le travail des grands, le lait de sa mère et ses jolis sourires. À la ferme et au village, elle n'en recevait pas beaucoup. Le matin, parfois dès l'aube, Camilla grimpait sa fille dans une brouette, et elles partaient ensemble sur le sentier caillouteux. Noelie observait avec un regard grave les couleurs des vagues et celles des champs. Quand un caillou faisait bondir la brouette et qu'elle manquait de verser, la fillette sursautait puis éclatait de rire. Les enfants sont sages, à cet âge-là. Plus grands, ils restent sages, tant qu'on n'est pas sur leur dos à compter les bêtises. Il y avait le vent tiède, souvent le soleil, des espaces où courir, et des lézards pour jouer. Les adultes s'étaient habitués aux petites épines de la *Rosa gallica*. Comme faire-valoir direct, elle rapportait plutôt bien. Avec le temps et les sous, on put même offrir à l'enfant son premier ballon.

Certains petits allaient à l'école oublier le ligure

intémélien ou le piémontais, et apprendre l'italien. Mais Noelie le parlait déjà à la ferme et elle n'avait pas de père, on n'allait pas en plus l'embêter avec l'école. On l'aimait bien, cette gosse. Elle était silencieuse, regardait seulement, puis souriait. C'est d'ailleurs avec elle que le grand-père apprit à le faire. Il réserva ses sourires à Noelie, uniquement dans la ferme, jamais en public. Au village et aux champs, il n'aurait pas aimé faire son intéressant. Un soir, il dit à sa petite-fille de l'appeler « père ». Entre eux, est-ce que ça ne revenait pas déjà à ça, et ferait moins jaser.

Camilla montra à sa fille *son* rocher et comment s'y asseoir sans avoir trop mal.

— Il y en avait de plus plats, avait remarqué l'enfant.

— Oui, mais rien à voir…

Elles s'étaient souri. Ces deux-là aussi se comprenaient bien.

Les jours de marché à San Remo, on voyait parfois des automobiles. Dans les rues d'Imperia, c'était rare. Qu'une voiture s'arrête devant la ferme était proprement impensable. Noelie avait sept ans quand cela se produisit. Elle en fut stupéfaite. Un monsieur était descendu de l'automobile. Cinquante ans et une montre de gousset. Pour le père, il était inutile d'en dire plus. C'était comme le progrès et les ennuis, tout ça venait de la ville. Camilla eut l'étrange impression de reconnaître le visage.

— *Signore* Malacria, se présenta l'homme.

C'est ça ! Camilla prit aussitôt sa fille par la main et

24

l'emmena nourrir les poules. Les pères avaient à parler. Ils s'attablèrent dans la salle de la ferme. Ce n'était ni une cuisine ni une chambre, mais l'une ou l'autre selon les heures, qu'on pouvait chauffer au bois selon les saisons. Le *Signore* Malacria posa son chapeau sur le banc. Père servit une goutte puis regarda sa pipe. On attendrait que le silence retombe.

— Si je l'avais pu, je serais évidemment venu plus tôt, dit finalement le monsieur chic.

Le père n'aimait pas du tout la tournure que ça prenait. Cet homme, il l'avait imaginé plus jeune. C'était la meilleure excuse qu'il lui avait trouvée. C'était même la seule. Puis le père avait oublié d'y penser. La colère avait dû céder pendant qu'il apprenait à sourire. Il devait à présent constater que Malacria avait vieilli beaucoup plus vite que Noelie ne grandissait. Si parler honneur passait encore, argent à la rigueur, il ne fallait pas imaginer lui sortir les remords ou, pire, les sentiments.

— C'est donc la petite que j'ai vue là ?

— Elle a son âge maintenant.

— *Sì, certo !* À l'époque des choses, mon fils faisait son service militaire. Lui aussi avait ses contraintes. Après qu'il a servi son temps, il est revenu chez son vieux père. C'est là qu'il m'a raconté pour elle. Mais ce fichu D'Annunzio a voulu la guerre, et il a dû repartir…

Ça s'éclairait un peu. Pas assez.

— Et ?

— Je ne croyais pas qu'elle allait durer, cette

25

guerre ! Mon fils allait rentrer et il serait venu ici, à la place où je me tiens. Mais nous sommes fin 1916. Il faut se rendre à l'évidence que la chose peut durer, mal partie comme elle est… On s'est enlisés, comme vous le savez.

Bien sûr qu'à Imperia on savait que c'était la guerre. Elle n'empêchait pas les fleurs de pousser. Sans les jeunes du village partis combattre, le travail aux champs était tellement grand qu'on n'avait pas le temps de s'intéresser aux détails.

— Et ? redit le père.

— Là où le fils a failli, le père veut remédier.

Le *Signore* Malacria avait dit cela d'une voix douce mais il vit de la colère dans le regard du vieux. Le père n'avait pas compris les mots.

— Je vais la prendre et m'en occuper, expliqua le *Signore*.

Silence.

— On l'a gardée aux champs. On aurait pu les envoyer, comme d'autres, aux soieries de Lyon. Ou placer juste la gosse. On l'a gardée.

Les deux grands-pères continuèrent comme ça un temps qui leur sembla long. C'est qu'on était à la campagne, où l'on n'a pas l'habitude de ces phrases-là. Puis même à la campagne, il y avait eu ce miracle de deux inconnus s'accordant à vouloir du bien à une enfant et à sa mère, dont il fut finalement décidé qu'elle aussi serait du voyage. Pas bien long ce voyage, mais qui pourtant changerait tout.

On décida d'un départ sur-le-champ. Attendre,

dans ces contrées, c'était pour que les fleurs poussent. S'il ne s'agissait que de faire tourner le moteur d'une automobile, autant le faire tout de suite. Les adieux, on ne savait comment s'en débrouiller, le plus vite serait le mieux. Noelie prit son ballon, et tout son courage. Elle emporta le dernier sourire de son grand-père, qui remplaçait son câlin et vaudrait souvenir.

On voit la scène.

Le grand-père, campé roide sur le chemin jusqu'au premier virage de l'automobile, lui fermement accroché à sa pipe, et Noelie pareillement cramponnée, elle à la main de sa mère, toutes deux sur la banquette arrière, à l'époque en bois dur.

— C'est comme sur le rocher…, murmura Camilla, en ramenant l'épaisseur des jupons protéger ses fesses.

— Non, ça roule.

Sans rétroviseur, le *Signore* Malacria ne pouvait observer ses nouvelles passagères. Il garda les yeux rivés sur la route et son sourire pour lui, d'humeur à chantonner s'il avait osé. L'automobile n'avait pas de fenêtres pour encadrer le paysage. Noelie le découvrait dans son entier. Les larmes aux yeux.

— C'est à cause du vent, dit-elle à sa mère.

— Je sais bien.

Malgré le chagrin, l'enfant s'étonnait que l'horizon soit tellement vaste. La mer continuait, malgré les caps, au-delà des anses. Toujours flanquée de sa montagne, elle devenait moins claire. C'est qu'on arrivait en vue du port de Gênes, où les paquebots brassent beaucoup d'alluvions, apprendrait-elle.

La belle demeure des Malacria n'abritait plus que le seul *Signore*. Si l'édifice patricien était conforme à son statut d'industriel prospère, il l'était moins à son veuvage. Le *Signore* fut soulagé de pouvoir demander à sa bonne, Zena, qu'elle rouvre une chambre afin d'y installer la femme et l'enfant. On ouvrit les persiennes. Le soleil entra. L'humidité partit, sans que Noelie quitte jamais des yeux le gros édredon de plumes qui recouvrait le lit. Quand elle put se glisser dessous, toutes ses pensées furent avalées par ce contact chaleureux et tellement surprenant. Noelie ignorait ce qu'étaient la modernité et le luxe, mais elle devina qu'il y avait beaucoup d'autres choses qu'elle ne connaissait pas. Si elle parvenait à s'endormir, et si un jour nouveau arrivait, il faudrait qu'elle se souvienne de cette révélation brutale.

— Ça fait sacrément date…, lui dit sa mère, stupéfaite d'être en train de jouer avec l'interrupteur électrique d'une lampe de chevet.

C'était samedi. On aurait dû être aux champs. Là, il fallait s'habituer à l'eau courante, qui ne l'était pas tant que ça. Camilla et Noelie vinrent s'asseoir avec grand-père Malacria dans la salle à manger pour apprendre à se connaître. Zena aida beaucoup. Elle aussi avait découvert la ville d'un coup, en arrivant des Abruzzes. Maintenant, elle connaissait chaque *carrugio* menant au port et le nom des palais de la ville. Elle avait même assisté à une messe dans la cathédrale Saint-Laurent, avant de préférer revenir à sa paroisse de quartier. Elle parla du patron, qui était donc grand-père, et qui était gentil.

Le *Signore* proposa à sa petite-fille d'aller à l'école. Noelie n'avait jamais eu de cartable, encore moins l'habitude de l'uniforme des sœurs. Apprendre lui plut beaucoup. Noelie ne faisait plus que cela. D'abord, elle déchiffra. Les mots dans le journal pour suivre chaque semaine *Les Aventures de Pinocchio*. Puis la circulation. À gauche, à droite, vite on traverse. Plus difficile, elle essaya de comprendre les visages. Celui de Camilla s'éclairait chaque fois que grand-père Malacria parlait de son cher fils.

— Un jour, il fera *quelque chose*, rêvait tout haut le *Signore*.

— Il enverrait une lettre ? osait Camilla.

Elle décida elle aussi d'apprendre à lire et à écrire. Au cas où.

Le soir, mère et fille se mettaient donc à table, sans plats ni assiettes. Accoudées, leurs cahiers grands ouverts, elles traçaient au stylo à plume des lettres irrégulières. Naturellement, Camilla alla aussi rejoindre Zena en cuisine, car pour se sentir bien elle trouvait nécessaire de se savoir utile. Elle échangea sa recette ligure de pâtes aux anchois contre celle de la *virtù* des Abruzzes, une soupe de printemps très fraîche qui lui plut beaucoup.

Il n'y avait pas de lettre du front mais on savait les nouvelles pas trop mauvaises. Le grand-père continua d'entretenir la figure de l'absent, comme l'espoir d'une victoire. Elle ne serait pas belle. Dans cette Première Guerre mondiale, l'Italie changerait plusieurs fois de camp. Si *a posteriori* l'histoire sait sourire de ces atermoiements, sur le coup c'était l'inconfort qui prédominait. Malgré les coups de feu de Sarajevo, l'Italie avait tenté l'impossible, ou juste raté le coche. Jusqu'à la fin de 1915, elle s'était déclarée neutre. Malcommode, vu l'ampleur du conflit et l'urgence des alliances. Puis le pays avait rejoint les Allemands dans le cadre de la Triplice mais, sentant le vent tourner, il était finalement revenu vers les Alliés. De ces voltes successives ne pouvait rien sortir de bon. Il était même probable que l'issue, au mieux, en soit ridicule. Ce serait pire. On ne saurait même pas dire si l'Italie avait gagné ou perdu la guerre. En revanche, les pertes en hommes seraient certaines. Les cadavres seraient abandonnés par milliers sur des champs de bataille aux plans improbables, où stratèges et généraux auraient démontré de manière éclatante leur incompétence et, là encore, leur indécision. Cela laisserait un grand vide dans les campagnes, et aussi pour longtemps dans la vie politique, regardée avec défiance par les survivants et les familles endeuillées.

Pour l'heure, en 1917, l'usine Malacria suivait son cours d'autant plus tranquillement qu'aucun effort de guerre ne lui était demandé. De son seul chef, grand-père Malacria commença à réfléchir aux transformations de son pays. Il dînait souvent en compagnie de Camilla et Noelie. C'est avec elles qu'il réfléchissait à tout ça.

— Je suis prêt à acheter des machines. Il faudrait juste déterminer nos besoins.

Noelie n'avait pas de besoins. Pas encore. Elle avait

des devoirs à finir, un ballon, un édredon et trop de réponses. La sienne fut donc brève. Si Noelie avait été précoce en coquetterie ou en gourmandise, le *Signore* aurait été heureux de fabriquer pour sa petite-fille bas en rayonne ou esquimaux glacés. Tant pis pour elle. Il continua de travailler la ferraille, qu'il refondait seulement, et ne devint pas plus riche qu'il ne l'était déjà. Là, tant pis pour lui. Cet échange entre eux, quoique raté d'un point de vue strictement industriel, laissa une trace précieuse en Noelie. On venait de lui faire confiance et elle avait adoré ça. Quelque chose s'était arrimé en elle, qui ne la quitterait plus.

À son arrivée à Gênes, Noelie n'avait pas voulu montrer que les klaxons l'effrayaient. Elle détesta hésiter entre plusieurs robes dans le magasin où son grand-père l'avait traînée. Il y en avait trop, laquelle était la plus belle ? Elle n'avait dit à personne que ses poules lui manquaient, sauf à sa mère. Et elle s'était accrochée. Elle était même retournée plusieurs fois voir *Vertumne et Pomone*, un tableau de Van Dyck dont on disait grand bien. Noelie s'était faite à l'usage de la salle de bains, y avait goûté l'intimité, et découvert la pudeur. Au bout d'un an, elle sauta deux classes pour retrouver celle qui était plus conforme à son âge et à ses moyens. Elle dépassait toujours ses camarades en taille, parce qu'elle était grande, mais plus en retard. Noelie ne sera plus jamais en retard sur les autres.

Le grand-père Malacria n'aimait ni l'ostentation ni les démonstrations. Son intérieur était d'ailleurs d'une rare sobriété, eu égard à la mode en vigueur dans les milieux bourgeois en 1919. Et sa tendresse, non moins retenue. Il apprécia beaucoup la présence de Noelie et Camilla dans sa maison et il en témoignait, à sa manière, discrète. Ses pensées allaient droit et filaient comme sa vie. C'est sans les embrasser, ni même dire au revoir, qu'il mourut calmement, une nuit, dans son lit.

5

Zena choisit de s'en retourner à ses montagnes. Après leurs embrassades qui furent des adieux, Camilla et Noelie reprirent le chemin d'Imperia. L'héritage du *Signore* irait droit à son fils, car n'étaient pas en vogue, à l'époque, d'autres détours possibles. Remontant la Riviera à pied, Camilla et Noelie commencèrent à reconnaître les fleurs et les brebis. Les murs en pierres sèches. Enfin, le toit de la ferme. Retour à la case départ, sauf qu'elles avaient changé.

— C'est une valise, expliqua Camilla à ses parents.

Elle était pleine de tissus fins, de livres, et même d'une boîte en fer remplie de la *virtù* de Zena.

— C'est bon ? demanda Camilla au père, quand il goûta la soupe.

Il en fut surpris. Pendant la soupe, il était rare qu'on parle. Père était un taiseux, comme on dirait plus tard de ces gens-là. Sur le moment, on n'en disait rien. On ne le savait pas. À la campagne, il était naturel de se taire. C'était ainsi qu'on se comprenait le mieux, avant que les mots s'emmêlent. Noelie avait grandi dans ce silence, et elle l'avait appris. En retrouvant son grand-père, elle n'avait donc rien dit, pas esquissé un geste, et à peine souri. Mais l'enfant avait ressenti une émotion forte, aussitôt devenue un souvenir.

Ce soir de retrouvailles, père avait beaucoup regardé Noelie pendant qu'elle mettait la table pour eux quatre.

— Ça te fait quoi, d'âge?

— Dix ans.

Trois printemps avaient passé. Le sifflement du père devint grimace puis, comme Noelie ne baissait pas les yeux, il redevint sourire. Pendant leur absence, père n'avait pas eu le cœur d'en faire. Il devrait recommencer à s'entraîner. Chacun reprit sa place à la ferme et, dès ce premier soir, ses anciennes habitudes. L'obscurité tombait tôt malgré les lampes à pétrole. Camilla et Noelie s'allongèrent sur leur paillasse commune. La journée, comme la route, avait été longue. Les phrases étaient inutiles. Le sommeil arrivait.

— Et ça, ça ne fait pas date? demanda tout de même Noelie à sa mère.

Appuyée sur un coude, elle regardait les contours de la cuisine à la lueur de la lune. Elle découvrait seulement ce soir la modestie du lieu, car elle pouvait la comparer. Malgré ses dix ans, Noelie devina qu'il y avait, dans les écuelles parfaitement récurées, dans le tas de bûchettes disposé au cordeau, ou les discrètes entailles sur le manche d'une cuillère en bois, plus que de la pauvreté. C'était digne.

L'enfant repensa au *Signore* Malacria, qui lui avait fait l'immense cadeau de se dire fier d'elle, et Noelie sut que son tour était venu d'être fière du père. Dorénavant, elle ferait tout pour tenir sa place à la ferme, au milieu des autres efforts de ses grands-parents. Elle aussi, un jour, deviendrait digne, autant que la cuillère sculptée qu'elle venait de fixer du regard. Cette reconnaissance, trop encombrante pour la tête d'une enfant, finit par lui serrer le cœur. Sa mère dormait déjà. Les pensées de Noelie continuèrent de voguer silencieusement entre le grand-père Malacria, qu'elle ne verrait plus, et la vie d'Imperia qui venait de reprendre. Juste avant qu'elle ne s'endorme, sa main résolument blottie dans celle de sa maman, son chagrin finit par devenir joie. Demain, elle irait voir ses poules.

Ça recommença dès l'aube. Il fallut se lever et s'asperger d'eau froide, de la paume vers l'aisselle, pendant que le café passait. Mère déconseilla à Camilla d'aller aux champs avec ses habits de ville. Elle dégota pour Noelie une robe mal cardée, qu'elle-même avait longtemps portée. Les longs bras de l'enfant dépassaient, on voyait ses genoux.

— A-t-on idée d'être aussi grande ! dit la mère, en ébouriffant la tignasse de sa petite-fille.

Deux journaliers, des *braccianti*, avaient été engagés pour suppléer au départ de Camilla. Même si elle venait de revenir, et que Noelie était en âge maintenant, père décida de garder les deux hommes. Ils furent donc six à partir sur le chemin, en portant la brouette. Ils croisèrent des paysans, qui connaissaient Camilla, et ne reconnurent pas sa fille. À l'église, Camilla verrait des amis d'enfance à qui raconter la ville, mais, le dimanche venu, Camilla communia et se tut. Elles étaient là, comme le rocher, ça suffisait.

Les fleurs avaient changé. Ce n'était pas une affaire de saison, mais une histoire de nature et de temps. C'étaient les temps qui avaient changé.

— C'est quoi ? demanda Camilla au père, devant un champ de gros pétales violets.

— Des chrysanthèmes. Ça marchait fort pendant la guerre. Plus la peine de cueillir ceux-là, on n'en tirera pas trois lires.

Les fleurs des survivants ne valaient plus rien. C'est dur, les affaires. Camilla apprit aussi que Porto Maurizio et Oneille avaient été rattachés. Imperia était dorénavant tout une, comme le pays, c'était la grande marche de l'Histoire. Ces nouveautés confortèrent Camilla dans l'idée que sa fille devait continuer l'école. Cela ne coûtait pas si cher, et on se débrouillerait. De toute façon, Noelie n'irait en classe que le matin. L'après-midi, comme le futur, ce serait les champs.

Père accepta. Noelie retourna donc à l'école, où elle fut vite première. Elle était vive les matins, robuste les après-midi, et passait sans se plaindre des livrets scolaires aux cageots de fleurs, changeant à midi son uniforme pour une blouse-tablier, l'humeur restant égale.

L'hiver 1925, il neigea. À Imperia, cela dura tout un après-midi. Père serra les mâchoires, refusa la soupe et ne dormit pas de la nuit. Noelie, si. Le lendemain matin, sans mot dire, elle couvrit les pousses les plus fragiles avec tous les tissus qu'elle put trouver. L'idée lui était tranquillement venue pendant le sommeil. Elle partit ensuite à l'école, sans plus s'inquiéter pour les futures fleurs, ni pour le regard songeur que le père venait de poser sur elle.

C'étaient ceux des *braccianti* qui l'indisposaient. Ils étaient nouveaux, eux. Comme ses seins. Les hommes avaient compris que Noelie, seize ans maintenant, n'avait ni père ni fiancé, d'où leur regard qui osait s'attarder, leurs lèvres entrouvertes et le malaise de l'adolescente. Il y avait encore les cousins, pas de la famille, seulement du village. Les garnements s'y prenaient différemment avec Noelie, quoique tout aussi mal. Avec eux du moins, l'adolescente pouvait rire. Ensemble, ils couraient les champs, se roulaient dans le sable, cavalcadaient les collines et allaient aux oursins si c'était la saison. Le tour de force de Noelie, c'était qu'elle réussissait à faire tout ça en échappant aux étreintes furtives et sans blesser personne. Elle donnait tout de même des sentiments, son rire, et malgré tout sûrement de l'espoir. Mais son corps n'était que pour le soleil, ses idées rien que pour elle.

Pour profiter des deux, Noelie prit l'habitude d'aller nager longuement. Elle avait appris seule. Sa mère l'accompagnait jusqu'à la plage, n'acceptant de mouiller que ses chevilles et le bas de sa robe. Camilla attendait que sa fille disparaisse à force de brasses régulières par-delà les confins du regard, que le ciel et la mer changent de couleur pendant l'attente, et que Noelie revienne enfin, plutôt moins fatiguée qu'au départ, et toujours rieuse.

Dans les champs, Camilla abattait un travail d'homme. Elle voulait faire oublier l'absence des bras d'un mari, et que sa fille puisse étudier le soir sans qu'on le leur reproche. Quand les poules dormaient, Noelie ouvrait un livre, le père bourrait sa pipe et, s'il y avait matière, Camilla aidait sa mère. Il serait facile d'imaginer le père marmonnant que la petite allait s'abîmer les yeux, que la lecture ce n'était pas l'affaire des femmes, ni la table de la ferme la place d'un livre. Jamais. Noelie portait la brouette, montait à dos d'âne et taillait les rosiers, alors va pour l'école. Ça lui passera au mariage. Si elle est différente, c'est discrètement, sans qu'on imagine qu'elle en fera grand-chose de fier.

Camilla avait les ongles noirs de la terre bêchée, et les idées aussi. L'espoir n'est pas grand-chose dans cette vie de campagne. Comme le *Signore* Malacria ne le faisait plus vivre, Camilla l'avait perdu. Peut-être était-ce seulement la fatigue des champs ? En tout cas, les rêves étaient partis, comme le beau militaire. Il faudra faire avec. Quand Noelie faisait ses blagues, Camilla riait moins, et c'était la fille maintenant qui devait insister pour aller au rocher. Elle y emmenait sa mère pour la retrouver légère. Là, en effet, Camilla

38

réussissait toujours à s'apaiser. En regardant au loin, elle se remettait même à sourire. Au nez et à la barbe de l'horizon.

Plus à la moustache.

6

L'école était finie. La saison des roses thé aussi.

Noelie avait dix-sept ans et son certificat d'études. Elle aurait pu pousser plus loin si quelqu'un l'avait proposé. Personne n'avait rien dit. Elle retourna aux champs à temps plein, quoiqu'on ne dît pas ça comme ça. Le temps est toujours plein, pardi ! Personne n'aurait eu l'idée de compter ses heures. Même pour les *braccianti*, ces bras qu'on louait, ce n'était pas le temps qui comptait, mais le travail. Il fallait qu'il soit fait, c'est tout. On obéissait à la courbe du soleil. Levé avec lui, on s'arrête quand il s'en va. Mais l'hiver, quand le climat très doux de cette côte ligure faisait la différence, les journées étaient trop courtes. Il n'était pas question d'acquérir de nouvelles parcelles de terre. Celles qui étaient à vendre coûtaient de l'argent. Or, si on avait quand même de quoi, on n'avait pas beaucoup d'argent. Encore moins à dépenser. Père voyait l'écart se creuser entre ceux qui s'agrandissaient, s'organisaient, gagnaient plus, et puis les autres. Lui ne pouvait acheter ni machines, ni serres, ni surtout des journées plus longues sur le versant ensoleillé. Il trimait sur son lopin, en laissant souvent passer le train.

Noelie eut l'idée des hybrides remontants. Elle n'était pas spécialiste, mais avait feuilleté des livres savants où les greffes s'appellent des entes. Désormais, Noelie pouvait penser semis. Pas ceux qu'on se contente de jeter sur la terre, juste bons pour nourrir les poules ou le hasard, Noelie pensait semis de plants à greffer. Ce n'était pas sorcier et on aurait deux récoltes, l'une au printemps, l'autre à l'automne. Ça permettrait de voir venir. Camilla dans la confidence, restait à convaincre le père. Là, bon courage.

Ce n'est pas tant question de courage que de malice, savait Noelie. Elle avait deviné qu'il faudrait y amener le père doucement, en lui donnant d'abord à penser. Au bout du compte, il aurait l'impression d'avoir trouvé ça tout seul. Un soir, il dirait tout haut, comme s'il parlait à sa pipe :

— Il faut une floraison de plus.

Personne n'ajouterait rien. On ne discutait jamais les décisions du père.

Cela se passa effectivement comme ça, parce que c'était la bonne façon. Ensuite, ça donna du travail, ce n'était pas plus mal. Il fallait être minutieux pour réaliser les greffons en écusson sans avoir trop de pertes. Noelie alla fureter dans les serres, où tout était secret. Le métayer y connaissait sa partie mais, par prudence, il ne savait pas l'ensemble. Noelie, elle, regarda tout.

Quand on comprit qu'elle ne venait pas chercher du travail mais le voler, on la chassa. Trop tard. Elle avait été plus rapide qu'eux, et avait déjà compris. Elle avait découvert que certaines roses ont un parfum bien agréable, et pensa qu'en bouquet de fleurs coupées, ce serait un plus. Elle avait l'œil, et du nez. Pour les outils, on les avait déjà. Il suffisait d'un couteau bien aiguisé, de doigts agiles et de patience. Il faudrait se donner au moins un an et ça marcherait. On s'en souvient, Noelie avait confiance.

— C'est des histoires de bonnes femmes, la confiance ! dit le père. Il faut le travail !

— Aussi, oui.

Noelie n'y dérogea pas souvent. Le père non plus. Sauf ce jour-là, où il avait trop mal au dos. En pleine journée, il vit un bonhomme en chemise noire arriver en haut du chemin. C'était un accoutrement qu'on n'avait jamais vu par ici. Il faisait beau, comme c'est souvent. Le père avait le soleil dans les yeux, mais en parant avec la main il put aussi reconnaître la soutane du curé. Les pas faisaient voleter la poussière dans la lumière. S'il avait connu le mot, le père aurait parlé d'*aura* à propos de l'apparition. Il se demanda juste le pourquoi de cette visite. Ce n'était pas l'habitude d'en recevoir. La mère resta dans la cuisine quand le père y fit entrer les deux hommes. Malacria fils se présenta. Le curé s'assit. On attendit sans mot dire le retour des femmes.

Malacria était arrivé avant sa lettre. À présent, il voulait voir Camilla. Lui avait survécu au fiasco de

Caporetto et était revenu vivant du front austro-allemand. Il s'était battu pour ces terres qu'on appelait irrédentes. C'est à ça qu'il croyait, tous les territoires où on parlait italien devaient revenir à l'Italie. Ça paraissait un minimum. Cette cause s'était pourtant perdue quelque part dans les Balkans ou dans un ministère. À la fin, on n'avait non seulement rien gagné de plus, mais on avait perdu. La face, aussi. Il y aurait donc des enclaves où l'on parlerait italien, en obéissant aux gouvernements yougoslave ou autrichien. C'était ballot, mais les vainqueurs de la Grande Guerre avaient décidé que c'était le prix.

Sans avoir revu son père vivant, Malacria avait dépensé tout l'argent de son héritage. La somme n'avait pas paru si grande quand les affaires s'étaient révélées mauvaises. Chemin faisant, Malacria s'était tout de même fait des connaissances utiles. À la guerre d'abord, où il n'avait pas manqué de toupet. Le plus souvent, il avait réussi à éviter le champ de bataille et s'était plutôt illustré dans les tranchées, où sa voix de stentor et ses histoires de femmes avaient fait beaucoup pour soutenir le moral des conscrits.

Après guerre, c'est dans les tavernes que les anciens courageux se réunissaient. Ils y buvaient à leur fraternité retrouvée et ruminaient cette victoire mutilée qui avait complètement gâché le retour au bercail. Aucune foule enthousiaste ne les avait guettés dans les rues pour les saluer, encore moins pour les remercier. Vu ces conditions amères, jouer des coudes pour se refaire une place dans un civil morose ne faisait pas franchement envie. Moins que la taverne en tout cas. Là, on se parlait initiatives, audace, femmes, *Homme nouveau*, et avec cette liturgie des années 25, on découvrait la politique.

C'était la paix maintenant. Enfin… Avec Mussolini, mieux valait rester prudent. C'était Mussolini, ce n'était pas le grand calme. Il se trouve que Malacria avait tapé dans l'œil du Guide. Dévotion du gars, sens des manœuvres, même les plus délicates, et totale absence de scrupules, qu'on nommait à l'occasion courage. Cela ne vaudrait encore rien sans l'amer vague à l'âme d'un jeune bourgeois mal démobilisé et doublement orphelin, de père et d'idée directrice. Tous ces éléments miraculeusement réunis en un même individu, le régime aurait été fou de se passer d'une recrue pareille.

— Chacun d'entre vous m'est précieux ! Comme des enfants pour leur mère…, roucoulait Mussolini.

Corps et âme, cette jeunesse perdue venait grossir les rangs fascistes. Les plus séduits n'étaient pas toujours les plus présentables. À certains meetings, la faune tenait du bestiaire. Il y avait bien sûr aussi des hommes de qualité, attirés par ce fascisme qui faisait autant la nique aux pacifistes déculottés qu'aux vat-en-guerre serviles. Des rangs de ce parti discipliné partaient quelques coups d'éclat périlleux auxquels les jeunes vétérans étaient heureux de frotter leur courage. Le fascisme était espoir, que pouvaient lui opposer la politique poussiéreuse des bureaux et l'injustice des traités historiques ?

C'est en respectant cet esprit, disons sportif et viril, que Malacria avait gravi les échelons du Royaume, jusqu'au jour du triomphe, le sien, où le Duce en personne l'avait reçu dans son bureau de président du Conseil pour lui confier une mission. La fierté du jeune homme, et sa joie, furent sans bornes, jusqu'à ce qu'il constate n'avoir personne avec qui les partager. Malacria n'était pas si différent des autres. Il aurait voulu pouvoir prendre un proche à témoin de ses succès. C'est ce qui l'amena à Imperia, où il savait, de l'époque de son père, avoir femme et enfant.

Qu'on attendait toujours, d'ailleurs. Elles n'allaient plus tarder. C'est en tout cas ce qu'espérait la mère, qui n'aimait pas avoir à rester bras ballants devant son évier en pierre mais n'aurait pas osé s'affairer, sachant monsieur le curé assis dans son dos. Père curait tranquillement sa pipe.

— Il était temps ! dit-il tout de même, quand il entendit des sabots dans la cour.

Camilla se présenta la première sur le perron. Elle avait encore le sourire. Tout le chemin du retour, Noelie avait parlé entes saugrenues et hybridation loufoque. La jeune femme avait à l'occasion l'imagination aussi fertile que les doigts. Noelie fut très étonnée de voir le visage de sa mère se figer soudainement et ne réussit pas à deviner la tournure qu'allait prendre la suite. Il fallut d'abord qu'elle pose, elle aussi, son regard sur les hommes. Le plus grand ressemblait beaucoup au *Signore* Malacria, en jeune. C'est l'autre qui prit la parole.

— J'ai beaucoup de joie de servir le Seigneur, et d'unir, en ce jour béni, les deux brebis repentantes que voici…

Le ton était donné. Père ouvrit des yeux ronds. Camilla faillit se trouver mal. Le curé comprit qu'il s'était emballé, ces brebis-là étaient aussi des gens. On décida donc de commencer par s'asseoir, et de reprendre calmement par le tout début. Le curé fit de vraies présentations, et Noelie sut que Nestore[1] Malacria ferait dorénavant partie d'elle.

Celui-ci plaida qu'il avait été bigrement occupé toutes ces années. Qu'il les avait sues heureuses, toutes les deux, à Gênes avec son père. Son bonheur à elles, c'était son bonheur à lui, ça lui suffisait. Il s'était senti généreux de les laisser à cette vie qui leur convenait, sans rien attendre pour lui-même, ni rien exiger en retour. Ma foi, on était quand même une famille, et la famille, on a beau dire, c'est sacré. On finit toujours par y revenir. C'est dans cette certitude qu'il avait puisé le courage de ce voyage vers elles, et c'est ainsi qu'il se présentait humblement, juste avec l'idée de bien faire.

Nestore était vraiment beau parleur. On comprenait sa carrière fulgurante. Camilla recouvrait peu à peu ses esprits pendant que, souterrainement, lui revenait sa tocade d'antan. Les regards recommencèrent à se croiser, suivis d'un sourire prudent. L'ensemble était baigné de la très grande patience de monsieur le

---

1. À prononcer *Nestoré.*

curé, avec qui date fut prise pour le lendemain, cette fois à l'église. Il ne serait pas nécessaire de voir également monsieur le maire puisque les temps nouveaux, qu'allaient conforter les accords du Latran, conféraient la même et juste valeur aux mariages religieux et civil. (Dernièrement, Mussolini s'était mis en tête de plaire aussi au pape.) Les visiteurs dirent bonne nuit et prirent congé, le saint homme emmenant avec lui Nestore Malacria, dont il aurait été inconvenant qu'il dormît dès ce premier soir à la ferme.

Leur départ laissa un sacré vide dans la pièce. En un rien de temps, c'est comme si on n'était plus du tout habitué au silence, ou à n'être que quatre. Père tira longuement sur sa pipe éteinte. S'il avait eu envie de lever les yeux, c'est vers sa Noelie qu'il les aurait tournés.

— C'était ton père, dit Camilla à sa fille.

Vraiment histoire de dire quelque chose.

Noelie hocha la tête, puis elle murmura qu'elle allait aux poules. Ce qu'elle faisait aussi d'ordinaire, il faut le reconnaître.

— Tu as toujours ta robe de ville ? demanda la mère à Camilla.

Camilla regardait vers la cour, vers les poules, vers sa fille donc, qu'elle ne voyait plus et qui, à cette minute et pour la première fois, l'inquiétait.

— Il faut que j'aille lui causer, dit Camilla.

— Laisse ! Tu viens de le faire ! sermonna la mère. Elle va s'y faire ! Elle s'habitue à tout, Noelie.

— N'empêche, c'est rude, grommela le père.

On venait déjà de se parler beaucoup. Le repas qui suivit fut pris en silence.

Le lendemain, Noelie ne fut pas autorisée à entrer dans l'église pendant que ses parents y recevaient le sacrement. Non par méchanceté, seulement en bonne logique catholique, Noelie n'aurait pas dû être là *du tout*. Elle resta donc sur le perron à jouer avec d'adorables chatons, qui eux aussi se trouvaient là. Après une cérémonie simple et brève comme on s'en doute, on resta un peu sur la place du village pour profiter des vœux de bonheur des amis et leur dire au revoir. Nestore tenait désormais sa femme par la main. Père, en tremblant un peu, sa canne. C'était à nouveau un départ.

Noelie décida qu'avant de rentrer à la ferme faire son paquetage, elle s'accorderait un dernier détour par le précieux rocher. Le ciel était ouvert et les mouettes riaient. À force de regarder l'horizon large d'Imperia, Noelie finit par retrouver la confiance en elle de Gênes. C'est ainsi qu'elle reçut, formula, et surtout accepta ce nouveau nœud de son destin. Elle eut envie d'une longue baignade, et ne se dit pas non.

Les cheveux encore mouillés, inconvenante mais résolue, Noelie revint en fin d'après-midi à la ferme. Une voiture y attendait. Maintenant, n'est-ce pas, on était presque habitués.

Dans la salle commune, Nestore buvait sa goutte avec le père en regardant les femmes plier bagage.

— Pas les capotes de laine ! intervint-il. Vous n'en avez pas besoin. Il fera chaud là-bas.

— Mais l'hiver ?
— L'hiver aussi.
C'est qu'ils n'allaient pas à Rome.
Ils poussaient plus loin.
Ils partaient en Libye.

7

Le voyage d'Imperia jusqu'à Tripoli parut long.

En 1927, on peut imaginer qu'il l'était vraiment.

C'est par mer qu'il s'effectua, sur un vieux paquebot qui ne fit pas d'escale. Sans que le reste du monde le sût, la ligne maritime entre l'Italie et la Libye était devenue rentable. Le rythme languissant du roulis en surprit plus d'un au cours de la traversée. On ne savait jamais juger à l'avance si les silhouettes qui s'accoudaient au bastingage le faisaient par ennui ou par nécessité. Les trois ponts étaient bondés. On y fuyait la moiteur de cabines exiguës qui fichaient le mal de mer, se donnant par la même occasion l'illusion que des promenades étaient possibles. Des rencontres aussi, pourquoi pas ? Tous les passagers du navire faisaient route commune vers une destination exotique formant socle solide à leur communauté. Les conversations s'engageaient facilement, soumises à la même interrogation générique : qu'allons-nous trouver là-bas ? Noelie n'osait pas poser à Nestore Malacria toutes les questions qui lui venaient. Elle préférait guetter des bribes de conversations d'autres inconnus. Cela ne disait pas ce que serait sa vie à elle, mais donnait tout de même quelques pistes. Vipères et scorpions du désert. Rébellion des indigènes. Construction de routes.

Noelie s'en remettait ensuite à la contemplation des vagues, à l'ennui de repas modestes, et à la compétence du commandant qu'on voyait parfois quitter le mess et traverser vers la proue, saluant au passage quelques fascistes de haut rang et leurs jolies femmes. Sur le bateau, tous savaient que le véritable commandant n'était autre que le Duce lui-même, qui avait su insuffler à son peuple l'idée d'un impérialisme légitime. Mussolini voulait renouer avec l'esprit de la romanité triomphante.

Pour certains passagers, il s'agissait de renouer également avec des cousins partis en éclaireurs coloniser la lointaine Tripolitaine. Ces passagers disaient avoir reçu d'outre-mer des courriers probants. Ils faisaient mine de savoir mieux que les autres où ils allaient, et paradaient de s'y déclarer attendus. Plus rassurés que les autres, ils attiraient comme des aimants. On faisait cercle autour d'eux. Camilla buvait d'autant plus volontiers leurs paroles optimistes qu'elle ne savait pas nager, et s'en inquiétait. Pour ne plus sentir le vide sous ses pieds, ni le danger, elle se raccrochait donc aux descriptions lyriques d'un immense désert libyen qui, même brûlant, se rapprochait dans sa consistance de la terre manquante.

Il y avait peut-être d'authentiques explorateurs sur le bateau, des agronomes et des ethnologues, mais ceux-là ne furent pas reconnus car, faute de matériau et en toute rigueur, ils ne disaient rien. Vu le vacarme des machines, ils ne se seraient d'ailleurs peut-être pas entendus. Sur un transat en bois, volontairement à l'écart, Noelie réfléchissait à la sociologie de cette traversée. Elle notait les postures, enviait l'aisance, reniflait la flagornerie, s'interdisant toute imitation hâtive ou plan sur la comète. Avant tout, il lui fallait trouver la bonne distance avec sa mère et ce mari, récemment devenu son père. Il était venu combler un vide jamais ressenti, et prenait une place que Noelie ne savait même pas avoir été vacante. Cet homme rendait sa mère idiote ou heureuse, selon qu'on était d'humeur jalouse ou généreuse au moment du constat.

Au premier soir du voyage, alors qu'ils rejoignaient tous les trois leur cabine, Noelie se trouva bête d'avoir pensé entrer dans celle de ses parents. Son trouble passa inaperçu mais lui laissa la certitude qu'elle allait à nouveau devoir grandir d'un coup. Lorsqu'ils s'attablaient tous les trois, Noelie préférait porter loin son regard pour ne pas croiser ceux que Nestore envoyait à son épouse. Souvent, Camilla rougissait et baissait les paupières. Noelie ne se pardonna jamais d'avoir trouvé à sa mère un air de fille de ferme. Elle regardait donc ailleurs pendant qu'ils mangeaient, et posa bientôt sur ses lèvres un sourire fade qui ne lui ressemblait pas. Il inquiéta Camilla, Nestore fut ravi.

— Je suis heureux de constater que vous savourez votre chance.

— Remercie ton père, Noelie.

— Merci, mon père.

— Dire que, sans moi, vous restiez à croupir dans une ferme !

À jeun, ça le faisait déjà rire. Ses plaisanteries devenaient toutefois moins aimables au fur et à mesure qu'il vidait la bouteille. Il fallait que Camilla soit vraiment sous le charme de cet étrange voyage de noces pour ne pas s'en inquiéter quelque peu pour la suite. Elle trouvait Nestore drôle, et lui était reconnaissante d'être revenu. Dommage qu'il ait fallu repartir si vite, surtout si loin. Au digestif, Nestore allait jouer aux cartes. Mère et fille se retrouvaient seules. *Enfin*, pensait l'une.

— Fais un effort, répondait l'autre.

Leur complicité reprenait ensuite le dessus, renforcée par l'étrangeté de ce départ. Voyager ne se faisait pas dans leur milieu, qui n'en était d'ailleurs pas un. Il était plus modestement condition. On n'était pas de condition à voyager, voilà tout. Émigrer, si, ça aurait pu. Dans ce cas, c'était plutôt un homme, et non deux femmes, qui partait. De toute façon, c'est en France ou en Amérique qu'on allait. Pas encore fréquemment en Libye, qu'à Imperia on aurait été bien en peine de situer sur une carte.

Le troisième matin, un brouhaha inhabituel remonta rapidement la foule des passagers agglutinés au bastingage. Les gens se souriaient, même s'ils n'avaient pas encore eu l'occasion de lier connaissance. La côte était en vue ! On distinguait la blancheur de la ville, derrière laquelle se dressaient des centaines de palmiers. Le bleu de la mer, le blanc de Tripoli et le vert des hautes palmes, c'était le drapeau d'une nouvelle vie.

— Pas trop tôt, je n'en peux plus des patates bouillies ! s'exclama une femme.

Cela sortit Noelie de ses pensées et la fit rire. Un rire nerveux, quoique libérateur, étouffé pendant ces longues heures de navigation, qui se révélaient d'un coup trop courtes pour que la jeune fille se sente tout à fait prête à emprunter la passerelle.

Vers la terre.

Décidément, si loin de la ferme.

8

Au milieu des passagers, Noelie faisait la queue pour descendre du bateau.

J'en ai vu d'autres, pensait-elle, pour se donner du courage.

Mais ça, elle ne l'avait jamais vu. Ni imaginé. Ni même jamais senti. Ce n'était plus seulement du nouveau. Plus seulement inédit. C'était incroyable et ça coupait le souffle. C'était vraiment ça, la Libye ?

Le nom venait de prendre vie, si tant est que la vie puisse ressembler à ça. Une cohue indescriptible assaillait les passagers au sortir du bateau. Un magma humain les apostrophait pour leur vendre tiges parfumées ou rince-doigts à l'eucalyptus. Des porteurs s'arrachaient les bagages. On ne distinguait pas les visages, tous avalés par les capuches pointues des burnous de gros lin. La langue était criée et laide. Le paquebot sonnait pour fêter ça, tandis que la tête des passagers tournait. La chaleur et l'odeur étaient accablantes. Les familles qui avaient voyagé groupées étaient disloquées par la foule qui s'immisçait, indifférente aux coups de fouet des policiers. Il n'y avait là que des humains, on aurait pourtant dit un marché aux bestiaux.

Dans cet épouvantable tourbillon, Noelie sentit la main de Camilla agripper son bras. Elle serra ses doigts sur ceux de sa mère et, épaule contre épaule, elles réussirent à faire quelques pas de côté pour sortir du brouillon. À l'écart des autres corps, elles eurent une vue d'ensemble du quai noir de monde. Un monde nouveau, grouillant et indigène. Les passagers qui se pensaient attendus criaient des noms et du patois. On était en nage et on était poussière. On était arrivés.

Une guérite, tel un théâtre de guignol, attira l'attention. Sur la pancarte était écrit «Bureau des colonies». C'était une succursale branlante de l'Institut colonial italien, faite de quelques planches mal clouées. On y souhaitait la bienvenue en terre libyenne aux ressortissants latins, moyennant une empreinte à l'encre du pouce gauche, apposée dans un registre rempli de noms familiers et de provenances rassurantes. Des charrettes et des ânes attendaient à côté. Ça avait l'air un peu plus organisé par là. Vu la panique et le bazar, ce n'était pas rien. La haute silhouette de Nestore s'y dirigea d'un pas confiant.

Pendant la traversée, il avait parfois été prolixe en vues programmatiques et s'était laissé aller à quelques tirades avantageuses, qui plaçaient très haut les idéaux du Risorgimento, mettaient la Libye au centre du monde, et faisaient de la pénétration italienne en terre africaine une pure formalité, rendue d'autant plus nécessaire que la France et l'Angleterre s'étaient déjà adjugé les contrées les plus favorables. L'Italie ne se devait-elle pas d'occuper son rang ? Nestore avait pu passer aux yeux de Noelie pour un pénible instituteur lorsqu'il faisait à la table du dîner sa profession de foi.

— L'Italie a un destin à accomplir. Nous étions de vulgaires migrants, nous voici des colons ! Il faut rendre un peu de ce que nous avons reçu. Ce n'est pas conquête, c'est bel et bien partage.

Il ne fallait donc pas *faire*, ni même *aider à faire*. Il s'agissait d'amener l'ancien vilayet au même éclat de civilisation que le reste de l'Afrique septentrionale, en faisant si possible la nique aux autres puissances coloniales. Ce dernier volet ne serait pas l'aspect le plus désagréable de l'entreprise.

Le rêve impérial de Mussolini trouvait facilement corps dans les discours de ces zélotes. Il paraissait généreux sur le papier de vouloir sortir une population de l'ère féodale où l'Histoire l'avait injustement abandonnée. Mais Noelie eut souvent envie de lever les yeux au ciel pendant que Nestore pérorait sur l'époque bénie de la *Pax Romana* afin de justifier son grand mouvement. Elle aurait encore volontiers ricané en le voyant se frayer un chemin sur le quai parmi la foule brûlante, la tête haute mais les mains moites, s'il n'avait fallu malheureusement marcher dans ses traces, tenir sa mère par le coude et, pour elles aussi, accorder leur humeur au fantasque port d'Oea.

L'envie de rire passa tout à fait à Noelie quand Nestore se présenta au planton de la guérite. Étrangement, ce dernier ne prit pas l'empreinte de son pouce. Il le salua au contraire d'un geste martial, avant de les conduire aussitôt, tous les trois, vers l'unique voiture présente sur la place. Un chauffeur attendait.

Effarée, Noelie découvrait que son père était dorénavant en poste officiel. Tripoli venait d'accueillir son nouveau *podestà*. Le deuxième plus haut représentant du Royaume mussolinien derrière le gouverneur de la Tripolitaine, et le plus haut gradé de sa capitale. Noelie serait maintenant la fille d'un *podestà*? Ce n'était pas possible.

— Ben ça…, murmura Camilla à sa fille.

La stupéfaction les empêcha de regarder par la fenêtre de la voiture pour découvrir minarets, dômes ottomans, palmiers et taudis en tôle formant ville. À mesure que l'on approchait du quartier européen, les routes en terre devenaient de larges avenues en macadam, avec soldats en faction devant des maisons de plus en plus grandes. Elles avaient manqué quelques occasions de se faire la blague, mais en descendant de voiture devant un hôtel particulier qui tenait du palais, avec grooms stylés et serviteurs en habit ottoman sur le perron en marbre, cette fois mère ou fille ne purent éviter de se dire que oui, ça aussi allait faire date. Les malles de Nestore, arrivées par un précédent bateau, patientaient dans un vestibule décoré de beaux serviteurs érythréens. Un mélange d'empressement déférent et de calme feutré régnait dans la pièce à colonnades.

Rendues là, Camilla et Noelie ne surent qu'attendre qu'on leur dise quoi faire. Leurs têtes étaient vides. Les pensées n'y arrivaient plus. Les deux femmes ne garderaient que peu de souvenirs de ces premières heures en compagnie du *podestà*. On proposa à Camilla et Noelie de se rafraîchir. De prendre un bain. De visiter leur demeure. On leur demanda à quelle heure elles souhaitaient que le dîner fût servi. On s'excusa d'avoir dû anticiper leurs préférences gustatives, leur assurant que cela ne se reproduirait plus. Le personnel leur fut présenté. Pas les sous-fifres, bien entendu, mais la gouvernante, le chef cuisinier, le majordome et le jardinier, dont on cacha l'escouade en guenilles. Nestore put enfin boire un whisky. Même s'il n'était que 15 heures, il avait sûrement mérité ça aussi.

Les appartements étaient vastes, communs pour les époux, quoique des pièces de commodités et des bureaux séparés leur fussent alloués. Noelie se voyait attribuer une aile entière de la demeure, avec draps en soie, divans ottomans et moucharabiehs. Des samovars contenant de l'eau de fleur étaient disposés çà et là pour se laver les mains, ainsi que des limonades constamment rafraîchies. Icha, la jeune fatma au service exclusif de Noelie, resta à côté d'elle quand elle voulut se déshabiller. Dans sa nouvelle penderie l'attendaient des gandouras couleur safran ou d'un étincelant vert émeraude.

— C'est merveilleux, réussit à articuler Noelie à l'attention d'Icha.

Elle pensait que, séparées par deux mondes, elles le seraient aussi par la langue. Rien ne lui reviendrait de sa petite phrase bête.

— Heureuse de vous servir, mademoiselle, dit Icha, dans un italien parfait.

Ah, d'accord.

— Ça va aller, merci, fit Noelie.

Elle fut stupéfaite de ce qu'elle venait de s'entendre dire. Non moins gênée à l'idée d'avoir en plus à montrer ses jupons. Même si Icha comprenait tout, elle resta pour assister au bain, et y ajouta des huiles délicatement parfumées. Elle aida ensuite Noelie à s'habiller, et à ceindre sa gandoura d'une large ceinture de soie. Quand Noelie dit qu'elle souhaitait s'étendre un peu, Icha accepta enfin de quitter la chambre, refermant très doucement derrière elle deux magnifiques battants de bois ouvragé. Elle attendrait de l'autre côté de la porte un toussotement, un signe ou un besoin naissant, pour surgir à l'instant. Il allait falloir s'y faire.

Plus délicate allait être la teneur des regards à poser sur Nestore. Si, pendant la traversée, on ne peut pas dire que Noelie était tombée sous le charme, à l'évidence son père avait acquis ici une nouvelle envergure. Noelie venait d'amerrir dans un palais des Mille et Une Nuits. Cela faisait nécessairement quelque chose de voir Nestore se présenter à table en uniforme, claquer des mains pour qu'on le serve en gants blancs, et se faire ouvrir les portes d'un simple regard. Surtout pour Camilla qui, longtemps fille mère, se retrouvait d'un coup de baguette magique princesse et notable, sans tuteur ni formation, voire pire, sûrement déjà amoureuse. Si l'aisance naturelle de Nestore avait pu prendre de légers accents de forfanterie sur le bateau, à tout bien considérer, en le voyant trôner dans sa demeure, et par-delà ses murs sur toute la ville, on pouvait au contraire lui reconnaître une certaine modestie.

— On est bien ici, non ? dit-il, par exemple, en leur faisant servir des petits-fours au miel dans l'immense salon.

— Oui, reconnut Camilla.

Noelie ne dit rien. Elle avait deviné qu'il faudrait faire des phrases longues pour mériter ces immenses privilèges. Comment remercier ? Qui ? Comment un jour raconter cela ? Nestore balayait le salon d'un regard satisfait.

— Quel dommage qu'il faille sortir d'ici…

Son geste ample de la main s'arrêta, et il fit une moue agacée.

— Surtout pour se coltiner les Libyens !

Il rit pour atténuer ses paroles. Il allait vite perdre ce reste de réserve et, grâce aux regards respectueux et craintifs qui se poseraient sur lui, finir par se prendre terriblement au sérieux.

En ce premier soir, cela semblait encore un jeu.

9

Le réveil fut assez doux. Tout semblait comme la veille. Pour le dire autrement, tout était vrai.

— On est chez qui là, exactement ? demanda Noelie, pour tempérer son émerveillement.

— Chez nous, ma chère ! répondit Nestore, sans s'offusquer.

Il avait des discours inauguraux à tenir le jour même et fut ravi de s'éclaircir la voix dès le petit-déjeuner. Si des fils évidents liaient la Libye et la Rome antique, le temps était venu de les dépoussiérer. Les somptueux théâtres romains étaient à reconstruire, l'arc de triomphe érigé en l'honneur de l'empereur Marc Aurèle, fatigué. La Libye pouvait aussi s'enorgueillir de magnifiques mosquées et du témoignage d'un passé caravanier prospère. Mais les Ottomans n'avaient pas cru bon, pendant leur longue régence, de doter le territoire d'infrastructures modernes. Pas d'autoroutes, sauf quelques vagues kilomètres le long de la mer. Le système d'irrigation entrepris restait perfectible. Il faudrait couvrir les canalisations, voire les enterrer, afin d'éviter l'évaporation de l'eau. Déplacer des dunes de sable et les fixer. Plus exactement, des tonnes et des tonnes de sable. Ici, ce n'étaient pas les bras qui manquaient. On voulait aussi percer des montagnes pour faire passer de nouvelles routes. À Tripoli, la cathédrale n'était pas achevée. Il n'y avait qu'une seule succursale du Banco di Roma et aucune caisse d'épargne où déposer son or. Plus grave, le port commercial de Tripoli, Oea, n'avait pas la grandeur militaire suffisante pour protéger tout ça. Les grands projets étaient légion, l'ambition immense. La Tripolitaine et la Cyrénaïque voisine étaient colonies italiennes depuis la guerre de 1911. Excroissances du royaume d'Italie, les achats s'y réglaient donc en lires. Malgré ce signe fort, d'irréductibles bandes de moudjahidine jugeaient encore utile de gesticuler. Ils le faisaient au nom de la dynastie Sanussi, certainement éminente et respectable par le passé, mais avec qui il était temps de parler d'homme à homme pour jeter les bases saines d'une entente mieux comprise.

— Voilà, en gros, ce que nous allons faire, conclut Nestore.

Il n'avait pas tout dit, aurait pu continuer, mais il s'arrêta, souriant.

— Ça ne me dit pas chez qui on est…, insista Noelie.

— Sûrement un vali quelconque, dont tu as volé le lit, dont on a violé les femmes, dont je vais usurper le titre et qui me mangera dans la main dès ce soir. C'est plus clair comme ça ? On va les mater.

Il ne faut pas croire que cela déplut à Nestore de voir la jeune femme le défier du regard. C'était sa fille, et la complicité entre eux pouvait prendre des formes inattendues. Tout… pourvu que Noelie perde son odeur de bouse ! Comme si elle avait deviné les pensées de son père, Noelie demanda à être excusée, et sortit de la table très calmement. Elle retourna dans ses appartements et se fit amener séance tenante par Icha un pantalon bouffant et une tunique longue, avant de prévenir d'une voix ferme qu'elle quittait le palais à pied. Icha craignit pour sa place. Paniquée, elle alerta la garde.

— Je ne veux pas d'un respect dû aux armes. Je laisse ça à mon père, répondit Noelie à l'émissaire.

Plutôt que d'avoir à transmettre, même en édulcorant, l'émissaire fit preuve de sagesse et de diplomatie. Il se fit accompagner par quelques hommes armés et décida de suivre les déambulations de Noelie à bonne distance. Prêt à intervenir, si besoin était. Assez loin, toutefois, pour qu'elle ne lui parle plus. Noelie n'eut pas le front d'essayer de semer ses gardes-chiourmes. Elle en avait déjà beaucoup fait pour aujourd'hui et, qui plus est, n'était arrivée que la veille. Sa mère répondait sûrement, en ce moment même, à des questions pointues sur la décoration florale de la table du soir. Noelie ne se sentait pas les coudées franches. Elle était blonde, grande, vêtue en homme. Elle avait dix-huit ans et se promenait dans le souk de Tripoli en 1927. C'était la réalité. Noelie ne savait pas comment c'était venu, ni pourquoi c'était tombé sur elle, mais elle avait du courage et le comprit ce jour-là. Elle avait aussi du chien. Et du cran. Venant d'Imperia, ce n'était pas mal. Pour une fille de *podestà*, ça faisait même beaucoup.

Des grappes d'enfants sales l'entouraient en riant. Les adultes la dévisageaient et jaugeaient sa longue silhouette. Pourtant coutumiers d'une présence caucasienne, ils devinaient là quelque chose d'inhabituel, pour eux autant que pour elle. Dans la vieille ville, Noelie vit les marchands d'huile et de semoule. Les étals d'ivoires. Les pains d'un boulanger posés sur un sol poussiéreux. Les bijoux en argent martelé, les récipients des dinandiers, et des mendiants aux sourires célestes. Elle se figea en entendant pour la première fois l'appel à la prière et se tourna vers un vieil homme.

— Qu'est-ce que c'est, cette chanson ?

Elle avait parlé en italien, qu'il ne connaissait pas. Noelie allait s'habituer à l'exhortation du muezzin qui officiait cinq fois par jour, comme au coup de canon qui accompagnait chaque matin la levée des couleurs du drapeau royal d'Italie. Elle allait surtout s'habituer à ce que ces deux rituels se mélangent sur une seule et même terre.

— Tu parles arabe ? demanda-t-elle à son père.

— Non, répondit-il, surpris.

S'il allait ajouter *pourquoi apprendrais-je*, Noelie eut la gentillesse de ne pas lui en laisser le temps.

— Je m'y mets, décréta-t-elle.

Il fallut se faire aux usages. Non seulement à ceux de la langue, mais à ceux du pays. Au début, ces apprentissages contrariaient les envies de liberté mais, en sédimentant, ils permettaient une belle aisance. Noelie avait cette qualité, rare chez une femme encore toute jeune, de ne jamais laisser les qualités acquises lui échapper ensuite. Ce qu'elle apprenait lui restait. Ce qu'elle gagnait la rendait plus forte. Il y avait depuis Imperia l'habitude du silence, depuis Gênes la confiance en soi, et depuis peu le courage. Le tout était enveloppé d'une faculté d'adaptation venue d'arrachements successifs, qui lui faisaient maintenant un bagage qu'elle pouvait poser partout.

Camilla eut plus de difficultés avec son nouveau statut. Si elle avait de l'esprit et un charme certain, c'est dans son élément naturel qu'ils s'exprimaient le mieux, en Italie, et plus précisément dans les champs de fleurs dont elle avait toujours su anticiper les besoins. Loin de ses racines, Camilla avait du mal à raisonner. Non qu'elle voulût briller, elle voulait *être*, ce qui pour elle et son éducation signifiait *être utile*. Son rôle de femme de *podestà*, de Première dame, dirait-on aujourd'hui, tout en choix de bouquets, élaboration de menus localement sophistiqués et gestes délicats de la main à l'intention des foules, peinait à lui donner les justifications qu'elle attendait d'une vie. Ce n'était plus la sienne qu'elle vivait désormais.

Il y eut aussi la lettre de monsieur le curé, lui annonçant le rappel vers le Seigneur de ses parents, à un mois d'intervalle l'un de l'autre, eux qui n'avaient jamais été séparés. Non seulement cela fit à Camilla la peine qu'on sait, mais cela rendit improbable le soulagement d'un éventuel retour. Camilla n'avait pas, comme Noelie, la faculté de regarder vers l'avant avec confiance. Elle connaissait la mélancolie et découvrit la nostalgie, féconde si on la chante, terrassante si elle accable. Camilla n'avait pas non plus l'imagination de sa fille, et ne savait pas enfouir au plus profond ce qu'elle avait à vivre et qui lui déplaisait. Noelie pouvait transformer la réalité en monde imaginaire, et se mettre à y croire dur comme fer, alors qu'il sembla vite à Camilla buter contre un mur. Comment sortir de là ? D'autant que, depuis le jour où Nestore était revenu, il était très souvent reparti. Trottiner derrière lui pour chercher à savoir s'il dînerait à la maison n'aidait ni pour la contenance ni pour l'assise. Il y eut beaucoup d'après-midi passés à regarder tourner les pales d'un ventilateur.

Au début de leur installation à Tripoli, la satisfaction et la puissance de Nestore avaient joliment maquillé son inconstance, et laissé augurer d'un possible élargissement de fratrie. De romanesques chassés-croisés avaient ému les coursives du palais. Entre deux audiences, Nestore entraînait Camilla dans la lingerie ou, moins romantique mais tout aussi efficace, dans son bureau, laissant en elle son odeur et l'hypothèse d'un frère pour Noelie. Il n'y eut pas de petit Pacha. En quelques mois, que ce soient la chaleur, les amibes intestinales ou tout simplement l'âge, Camilla n'eut plus ses règles, ni vraiment de mari.

Ils se retrouvaient lors des soirées de gala au fort du maréchal Badoglio. En habits de soirée, le couple reprenait en apparence ses droits, mais s'adressait toujours peu la parole. Nestore et Camilla recevaient aussi chez eux, pour des dîners officiels que Nestore oublia quelques fois d'honorer de sa présence. Noelie secondait alors sa mère du mieux qu'elle pouvait et réussissait à faire oublier aux invités leur embarras premier. Elle connaissait mieux la ville maintenant, et savait parler des vrais problèmes sans langue de bois fasciste, et avec une subtilité rare en ces années.

L'histoire serait injuste si elle ne disait pas les routes construites, les magasins ouverts et d'autres dotations nécessaires à la trace coloniale. Nestore entrait pourtant souvent dans un tripot, où l'attendaient des complices de beuverie et de parties de cartes, qui laissaient place ensuite aux historiettes coquines. Jamais le maréchal Badoglio ne rejoignit ces parties fines. Sous ses ordres, le général Graziani était devenu vice-gouverneur de cette gredine de Cyrénaïque, où il fut décidé de hausser le ton. Nestore était venu pour ça, il répondit présent. Des escadrons furent constitués, qui mélangeaient habilement militaires italiens et effectifs indigènes venus des colonies voisines d'Érythrée et de Somalie. Majoritairement chrétiens, ils n'étaient pas fâchés d'avoir à discipliner des rebelles musulmans. Les Italiens, secondés de méharistes aguerris, parvinrent donc à leurs fins, et Malacria fut nommément remercié de ses bons et loyaux services.

La Libye devenue brave fille pouvait enfin se présenter comme une colonie de peuplement. Mussolini encouragea les Italiens à affluer, leur assurant l'attribution gracieuse des meilleures terres du pays.

— Aussi fertiles que les plaines du Pô ! jura-t-il.

Il fallait les extorquer, ces terres promises. Des paysans libyens y travaillaient, comme leurs pères et leurs grands-pères avant eux. En échange, on proclamerait ces hommes « musulmans du quatrième rivage de l'Italie », avec l'espoir qu'ils se consolent du titre. Si certains renâclaient, c'était simple, on les faisait taire. Nestore ne chômait pas. Quand il rentrait chez lui après avoir découché plusieurs nuits, se plaignant d'avoir mal aux reins, Camilla ne savait pas discerner si c'était la conséquence de longues cavalcades à dos de chameau dans le désert, comme Nestore le prétendait, ou bien la faute à d'autres contorsions, hygiénistes elles aussi, mais qui mériteraient une bonne scène de ménage. Camilla en avait vu éclater sur le paquebot. Elle avait des références. Mais elle avait constaté que, même très fâchées, errant tout d'abord entre le pont supérieur et le pont inférieur, les femmes finissaient toujours par se résoudre à dîner en famille. Où seraient-elles allées ? Ce qui valait en mer vaudrait aussi au palais.

Peu importaient donc les doutes ou les certitudes de sa femme, Nestore put faire ce que bon lui semblait. Il était libre, et ce fut là un possible modèle pour Noelie, non tant pour ses mœurs de jeune femme, elle était sage, que pour l'affirmation d'elle-même. Il fallait s'attacher à devenir soi, comme le faisait Nestore. En mieux, disons.

Noelie n'était pas une révolutionnaire dans l'âme. Elle ne voulait pas changer la société, ni aller à tous crins à l'encontre des préjugés de sa classe. Mais elle-même avait suffisamment changé de rang pour se sentir n'appartenir à aucune caste. Elle montrait donc le même allant dans un marché berbère et à une réception en habits du soir, et témoignait de la même aisance avec des indigènes qu'avec les demoiselles italiennes bien nées avec qui elle participait aux rallyes de Tripoli.

Dans ces soirées, Noelie n'économisait ni ses rires francs ni les danses. À l'intérieur du petit milieu colonial, où régnait un strict conformisme vestimentaire non moins que de vues, Noelie détonnait. On accepta qu'elle porte le pantalon et qu'elle remplace les élégants colliers de perles par d'abstraits bijoux africains. S'il n'était pas en vogue d'avoir un style à soi, Noelie avait déjà trouvé le sien, et réussit à l'imposer. Elle n'en dérogerait plus, adaptant seulement sa tenue aux saisons et à ses moyens financiers. Que ce soit en voilage ou en cachemire, son long corps maigre serait toujours revêtu d'un large pantalon et d'une chemise ample, noirs ou blancs tous les deux. Ses cavaliers lui reconnaissaient une classe folle, et tombaient tous sous le charme. Seulement, Noelie était trop singulière. Ils en avaient peur. Aucun ne prétendit l'épouser. Il n'y avait donc dans ces soirées ni rivalité empoisonnante ni mauvaise querelle à apaiser. C'était d'autant plus heureux que Noelie commençait à déployer son grand talent pour la vie. Elle n'aurait pas souhaité s'em-

barrasser de soupirants vexés, ni devoir consoler les
éconduits. Elle était forte, se voulait libre et préférait
que l'on se montrât également ainsi avec elle. Noelie
voulait rire et s'amuser. Même quand il était l'heure
de rentrer à la maison, où Camilla tournait en rond.

À cela, il fallait de toute urgence trouver une solution.

10

Noelie venait de la campagne, où l'on est habitué à faire avec ce qu'on a. S'il pleut, on ne se lamente pas. On met des bottes et un chapeau. S'il vente, on l'enlève. On n'a pas l'envie de récolter si c'est encore la saison des semailles. Ne pas rêver de poisson devant une assiette de soupe épargne bien des lamentations. Cette logique de la matière première à disposition avait posé une empreinte solide sur la jeune Noelie, plus fortement encore sur sa mère. C'était donc vers cette sagesse paysanne qu'il fallait se tourner, pour empêcher que Camilla ne s'étiole tout à fait dans son rôle ingrat de pur apparat.

Qu'avions-nous là ? Une province prétendument sécurisée, dont seule la côte permettait des voyages encore rocambolesques. Le désert ? Jamais très loin, il restait pourtant inaccessible sans le soutien d'un corps expéditionnaire. Tripoli alors ? Les enfants libyens auraient tous dû apprendre l'italien. Enfin, apprendre l'italien… Bonjour, bonsoir, de quoi comprendre les ordres, mais aller tous à l'école, peut-être tout de même pas ! On avait d'autres priorités pour ces gens-là. Si devenir institutrice n'était pas conforme au statut de femme de *podestà*, pour être honnête ce n'était pas non plus tout à fait dans les cordes de Camilla. Elle adorait faire la cuisine mais, dans un pays où l'on mourait facilement de faim, ce passe-temps manquait de décence. Il y avait, bien sûr, la compagnie servile d'autres femmes désœuvrées, mais la plupart venaient de Rome, étaient là-bas des femmes du monde, et on ne se comprenait pas.

— Cherchons encore, dit Noelie, qui ne s'avouait jamais vaincue.

Ce serait cocasse et pas finaud, qu'un père tombé du ciel tue au petit feu de l'indifférence une mère bénie des dieux. Il fallait revenir à l'épicentre et au début. Revenir à Imperia. Pas dans les faits, puisque c'était impossible. Non, revenir vraiment à Imperia, où poussent les fleurs, pas l'ennui, et où il y avait toujours eu des solutions. C'est vrai que, là-bas, on avait les poules. Les poules ? Voilà l'idée ! À Tripoli, elles étaient faméliques et couraient comme des folles avant de se faire écraser par les roues des charrettes. D'autres dormaient la tête sous l'aile, n'ouvrant un œil qu'au moment de se faire dévorer par une horde de chiens galeux. En premier lieu, il faudrait se renseigner sur des races pondeuses susceptibles de résister à de grosses chaleurs. Hors de question d'utiliser les hybrides libyens, bizarres et déplumés. Donc, trouver les bonnes poules, ou les faire venir Dieu sait comment, et commencer un élevage.

— Non ? demanda Noelie à sa mère.

C'était oui.

— On va faire une coopérative ! Les Libyennes viendront s'occuper des bêtes et récupérer la ponte du jour. Ça leur fera quelque chose à manger. Ou à vendre ! Y en a pas au marché. Nous, on se prélèvera sur... disons le prix de la vente des œufs. Allez, au début, juste sur leur bénéfice net, une fois retiré le...

Les yeux de Camilla avaient viré au sombre. Noelie crut bon de se justifier.

— On aura avancé tous les frais, le bâti du poulailler, le grain concassé, si on en trouve, et l'idée aussi...

— On ne prélèvera rien, Noelie.

Vu le ton employé, très rare dans la bouche de Camilla, sa fille n'eut pas le choix. Elle baissa les yeux.

— On mettrait ça où ? demanda Camilla, aussitôt radoucie.

Le visage de Noelie rayonna à nouveau.

— Là ! Dans la cour !

Elle indiquait du doigt les immenses jardins du palais, tout de massifs fleuris, hibiscus et glaïeuls poussés sur l'impeccable gazon.

Camilla eut une vision de la cour d'Imperia. La terre meuble, les vieilles planches de bois adossées de guingois à la grange, les outils abîmés, une brouette taillée dans la masse, le banc du père et de vieux sabots qu'on n'aurait pas songé à jeter... Au milieu de ce capharnaüm, un poulailler rouillé. Camilla sourit de la métamorphose. Restait tout de même à demander à Nestore.

— On ne va rien demander à Nestore. On va l'informer, c'est différent. C'est toi, maman, qui vas t'en charger.

Noelie précisa à sa mère comment lui présenter les choses. Voilà. Il était temps de faire un geste favorable vers les populations locales. Les rapports avaient été contrariés, voire mauvais, disons-le. C'était du passé. L'Italie, en la personne de son auguste représentant Nestore, voulait passer l'éponge. Pour preuve, cette nouvelle entreprise de main tendue et de récolte quasi gratuite. Non, pas de récolte, pardon, de ponte. Pour l'image, c'était une idée formidable.

Camilla essaya son texte face au miroir, modulant sa voix et sur différents tons. Un jour, pourquoi celui-là, elle se lança, comme on crache par terre un noyau.

— Ça veut dire quoi, l'image ? demanda Nestore, subitement intéressé.

Noelie avait conjuré Camilla d'insister là-dessus, et ça avait en effet l'air de marcher. Mais sa fille n'avait pas été suffisamment précise, maintenant qu'il s'agissait de définir la chose. Camilla continua d'improviser avec ses rudiments de mauvaise foi.

— L'image ? Tu ne sais pas ce que c'est que l'image ? C'est ton nom dans l'Histoire ! Ta place dans le tableau ! Pour l'instant, c'est le salut romain du Duce qu'ils te feront tous, si toi aussi tu leur tends la main.

Ce fut la première victoire de Camilla sur Nestore.

De son vivant, la seule.

C'est ainsi que démarra une surprenante aventure avicole.

11

Sur ordre du *podestà*, des ouvriers bâtirent un rutilant poulailler. Nestore délégua ensuite son pouvoir et l'administration de l'entreprise à Camilla. Lui-même ne voulut plus entendre parler de rien et ne toléra qu'à grand-peine l'incessant caquètement des poules, trop joyeuses à son goût.

— Garces de Libyennes, s'agaçait-il.

Noelie n'y prêtait plus attention. Camilla eut envie qu'au fronton de la volière soit peint en belles lettres l'acronyme de leurs prénoms. CaNo vit le jour. Noelie proposa qu'on rajoute à côté *Impero*, qui veut dire *empire*, et qui jouait de connivence avec la lointaine Imperia. Camilla refusa net. Même l'abréviation CaNo Imp., discrète, presque modeste, n'eut pas droit de cité.

Si Camilla régnait, Noelie avait gagné.

Maintenant que sa mère avait une raison d'être, la jeune femme pouvait passer à autre chose. Plus exactement, elle aurait aimé passer à autre chose. Mais ce qui avait été compliqué pour sa mère n'était pas moins problématique pour elle, d'autant que Noelie n'était pas femme à juste vouloir s'occuper. Elle ne cherchait pas seulement du travail, elle voulait un but. On parlerait aujourd'hui d'une *femme de challenge*. Or rêver sa vie ne remplit pas des journées.

Noelie se trouva deux challenges. Primo, amener CaNo d'un statut végétatif à celui d'entreprise florissante. Secundo, se faire mieux connaître de Bruno Ongaro, un jeune aviateur italien, trop brièvement croisé lors d'un cocktail guindé.

Pour CaNo, Noelie décida qu'il fallait endiguer le flux des allées et venues dans le poulailler, afin de ne pas embêter sans cesse les poules, et les laisser couver. Noelie plaça du personnel, son personnel, à l'entrée sud du poulailler, celle qui donnait sur le chemin de terre par où les femmes arrivaient. (Il aurait semblé saugrenu de faire passer leurs gandouras grossières par l'entrée principale du palais.) Fut aussi institué un registre avec les sobriquets des poules, une colonne remplie des chiffres de la ponte du jour, et une autre pour le modeste tarif à régler, un droit d'entrée symbolique que Noelie avait finalement réussi à imposer. Les Libyennes jugèrent ces règles très dignes, et trop strictes. L'affluence déclina aussitôt.

Le palais soupa d'omelettes puis en eut vite soupé. Restaient les œufs, qui s'empilaient dangereusement haut dans le poulailler. Cette réorganisation n'avait pas beaucoup fatigué Noelie, qui décida de pousser plus loin son effort logistique. Elle proposa un service de livraison à domicile. C'était évidemment à l'attention des cuisines du quartier colonial, bien sécurisé, que s'adressait son offre. Elle pédala dans de belles avenues ombragées de palmiers, traînant derrière elle une remorque savamment aménagée. Au retour, ou le soir, ou bien quand il finissait seulement par rentrer, elle signalait à son père où étaient les nids-de-poule qui avaient cassé les œufs avant leur livraison et Nestore faisait immédiatement réparer la chaussée par ces forçats de cantonniers.

— On est une sacrée bonne équipe, disait-il.

Noelie était heureuse d'avoir retrouvé une activité physique de plein air. Pour soulager les crampes qui gagnaient ses mollets après les kilomètres à vélo, elle chercha à découvrir où aller nager. Après tout, Tripoli était au bord de la mer, et c'était la bonne, c'était la sienne. Il y avait même une ligne accidentée de rochers côtiers pour rappeler Imperia. On aurait tort d'imaginer Tripoli aussi plate que son horizon. Certes, le désert qui la cerne derrière l'immense palmeraie fait vite retomber le regard, mais côté mer c'est une succession de promontoires et de criques, où Noelie n'eut que l'embarras du choix d'un rocher à elle. De là, elle repartit en quête d'oursins, lors de longues brasses coulées dont elle ne rapportait le plus souvent que des débris d'amphores. Peu importait que la pêche se mange ou pas, l'eau était réparatrice, et Noelie aimait autant s'y baigner qu'en ressortir trempée, en quelque sorte tout de même repue. Ensuite, elle restait sur son rocher pour sécher au soleil. C'était l'un des rares moments où elle acceptait de ne rien faire, car ce n'était pas rien. Puis elle rentrait au palais à vélo. Très vite, la chaleur et la poussière sahariennes l'emportaient sur les bienfaits de la baignade, rendant la suivante aussi désirable que nécessaire.

Intriguées par cet emploi du temps inhabituel, des demoiselles vinrent sur la plage voir de quoi il retournait. Les baignades n'étaient pas en odeur de sainteté. Juste bonnes pour la marmaille, elles faisaient peuple. Il fallut que Noelie raconte la liberté, qu'elle fasse miroiter la conquête et l'agréable, pour que se reforme à la plage la bonne société des rallyes, nettement plus amusants une fois les pieds dans le sable. De jeunes Italiens furent postés à guet, la main fermée sur une pierre, prêts à ceinturer tout voyeur libyen qui arriverait par le chemin. Les demoiselles gardaient un soutien-gorge à armature métallique sous leur maillot de bain couvrant jusqu'à mi-cuisse, parfois même un jupon qu'elles faisaient bouffer pour qu'on n'aille pas imaginer. Un pas considérable semblait tout de même franchi. Des jambes apparurent, fuselées pour Noelie, blanches et dodues pour d'autres. Des poitrines aussi, bombées ou maigrichonnes, le plus souvent timides et barrées de bras croisés dessus. Pour échapper aux regards, ces corps hésitants couraient vers la mer, stoppant net dès la première éclaboussure sur le mollet. Ceux qui ne voulaient pas se baigner, ils étaient majoritaires, restaient tout habillés à parler sur la plage.

84

— Le bronzage, c'est bon pour les Arabes !

— Nager, pour les paysans, ajoutait Noelie, sans complexe apparent.

Elle n'avait rien dit des aléas de sa provenance. Non par honte, mais parce que personne n'était arrivé à lui donner le goût des confidences. Son père avait un statut officiel qui la mettait en vue, et elle préférait se baigner plutôt que parler d'elle, donc de lui. Souvent, Camilla était là et leur servait de chaperon. Il arriva qu'on demandât au chaperon d'aller se promener, ce qu'il refusait.

— Tu as changé, lui reprochait Noelie.

— Pas moi. Ce sont les temps qui ont encore changé.

— Laisse le temps où il est. Toi aussi, tu as été jeune, je me trompe ? Tu regrettes que je sois là, peut-être ?

Noelie marchait vers le couple en quête d'intimité et leur disait :

— Ma mère ne veut pas bouger. Mais allez dans une crique, elle ne vous suivra pas.

Les promis s'éloignaient furtivement vers leurs appartements à ciel ouvert. Noelie avait replongé aussi sec, laissant Camilla sur la plage, seule avec ses contradictions et son sens du devoir. Ces jours de malentendus, en repartant de la plage, on voyait mère et fille se tenir solidement par la main.

Quoi qu'en dît l'époque, Noelie s'improvisa maître-nageur. Comme à des enfants, elle conseillait à ses amies de faire l'étoile de mer. On se met sur le dos et on écarte tout grand les bras et les jambes. Quand les jeunes filles s'étaient habituées au contact des vagues et à leur portance rythmée, Noelie leur demandait de se retourner sur le ventre et de faire la grenouille. On plie, on déplie, on plie, on déplie.

— On va chercher loin devant, mimait Noelie, en souriant.

C'était le plaisir de le dire.

— On va chercher loin devant ! se répétait-elle.

Ses amies buvaient la tasse, se décourageaient, riaient, et pour certaines apprenaient bel et bien à nager.

Un après-midi, quelqu'un amena enfin le bel aviateur. Il n'était pas en tenue de vol, ni en devise militaire, mais en habits de tennis. À Tripoli, le geste équivalait à porter une combinaison de ski.

— Il y a des courts ici ? s'enquit Cosima.

— Aucun. Mais si on en construit un, je suis prêt ! répondit Bruno, pince-sans-rire.

La jeune femme fronça les sourcils. Les travaux de terrassement du sable, c'était forcément long. L'aviateur aurait amplement le temps de se changer. Se mettre déjà en pantalon blanc et chaussures souples était très précipité, voire idiot, pardon de le dire. Bruno avait entendu les arguments de Cosima avec attention. Il garda son sérieux et lui donna raison. Noelie l'observait, traquant dans son visage condescendance ou exaspération. En vain. Extravagance ou insolence, pas plus. Une grande douceur émanait de l'attitude du jeune homme. Que ce soit pour la voix quand il se présenta, pour la peau quand il fit le bai-semain, ou pour une sorte de retrait global, qui était son habitude. L'aviateur abandonnait beaucoup d'in-flux nerveux en mission, et ne gardait au repos qu'un silence concentré et un sourire affable. Il fut reçu comme un cadeau par les jeunes femmes présentes, toutes curieuses de ce célibataire aux rares appari-tions. Noelie décida aussitôt de prendre ses distances.

C'est au roi Victor-Emmanuel III que Bruno Ongaro avait prêté serment en commençant sa car-rière militaire. C'est vers lui qu'allait l'allégeance de l'aviateur. S'il acceptait le principe de la guerre, il ne goûtait que modérément les réalités impérialistes du fascisme. Les escadrons italiens étant seuls à voler, Bruno Ongaro n'avait pas à ajuster le tir de sa mitrail-leuse contre des appareils ennemis, qui iraient aus-sitôt s'écraser en piqué. Il en était soulagé. Dans les airs, c'était un simple mélange d'Aéropostale et, pour l'éclairé Bruno, de réflexions sur l'aérodynamique jugée très perfectible. La guerre pourrie ne se faisait qu'au sol.

— Quel est votre grade ? demanda un jeune homme.

— Lieutenant S.A.R.

Malgré la modestie du rang, cela fut dit avec confiance. Cet échelon racontait déjà des heures d'en-traînement, une condition physique irréprochable et une volonté de fer pour vivre sa passion. Les vols se faisaient aux instruments et à l'œil, aucun GPS ni radio pour soutenir le talent. À chaque décollage, on risquait sa peau. Il fallait du courage. Bruno n'en manquait pas. Il aimait voler, comme d'autres aiment nager. Lui convenaient parfaitement les missions de reconnaissance, ou le survol en couverture des colonnes terrestres, dites de *pacification*. Il aimait aussi le frisson du test d'appareils endommagés lors d'opérations précédentes, dont il fallait vérifier s'ils pouvaient voler encore. Plus tard, avec l'expérience et la paix, Bruno ouvrirait des routes aériennes au-dessus du Sahara et verrait des merveilles, comme Saint-Exupéry. Il se l'était juré. Une quiétude l'habitait donc, qui ajoutait au charme déjà grand de ses épaules musclées. Noelie fut sensible aux deux et se fit la promesse de n'en rien montrer. Elle refusa catégoriquement de rejoindre la cohorte de donzelles, charmantes mais ridicules, qui se pâmaient devant lui, l'éclaboussaient de petits cris enjoués ou se plaignaient de la chaleur en lui faisant des mines. Bruno, pas insensible à tout ce barnum, accepta de raconter à Cosima ses sensations de pilote.

— C'est plus fort quand l'avion roule ou quand il vole ?

— C'est différent.

Accompagna Ermelinda faire quelques brasses mal assurées.

— Je me noie !

— Non.

Toujours calme, Bruno Ongaro, d'un flegme anglais miraculeux. Ses visites se firent toutefois plus fréquentes, si tant est que ses activités le permettaient, des affinités électives se dessinant au gré des assiduités dont l'aviateur était l'objet.

— Tu devrais te bouger…, conseilla un jour Camilla à sa fille.

— Chaperon ou marieuse ? persifla Noelie. Je n'en ai rien à faire de ce type. S'il est assez bête pour épouser Coco, ce n'est pas l'homme de ma vie. Point.

Pourtant, ce n'était plus le genre de Noelie de laisser le destin décider à sa place, et Bruno lui plaisait vraiment. Son élégance, surtout. Ses idées aussi. Le plus drôle, c'est qu'il ne les exposait pas et parlait très peu. Mais Noelie les savait différentes. Sans prendre parti ni juger du contenu, elle respectait cela infiniment. Elle ne changea pas d'attitude pour autant, ni de stratégie, car, même si personne ne la comprenait, elle en avait bien une.

Un midi, Bruno escalada de grands rochers pour se retrouver en haut d'un promontoire, beau comme une statue grecque. Les jeunes femmes le regardaient d'en bas, depuis la plage, et commentaient son courage en admirant ses muscles.

— Il va plonger ! s'écria l'une.

— Pas d'aussi haut ! frémit une autre.

— Il est incroyable !

— Il est incroyable ! répéta un jeune homme, en prenant une voix d'idiote.

Ils étaient cinq ou six garçons à en avoir gros sur la patate. L'un était un tout jeune ingénieur des Ponts et Chaussées, un autre seulement fils de son père, qui était dans le génie civil. Tous, depuis leur arrivée à

Tripoli, entouraient ces jeunes filles de patience et de gaieté. Il leur paraissait donc barbare, ou simplement injuste, qu'elles se détournent ainsi pour le petit nouveau. Bruno, arrivé à la pointe du promontoire, était heureux de la vue qui s'offrait d'une mer si tranquille qu'on aurait dit une flaque. Du bras, il répondit à Cosima, puis vit Lavinia porter les mains à son visage dans ce geste d'attente craintive qui précède parfois l'exploit. Tous avaient le regard rivé sur lui, quand Noelie daigna enfin lever les yeux.

— J'espère qu'il prend plus vite ses décisions quand il est en avion, ricana-t-elle.

— Redescends ! hurlait Cosima, prête à aller le chercher.

À dire la vérité, elle avait déjà fait plus pour lui.

— Plongez ! Vous êtes ridicule !

Cette voix grave, Bruno l'aurait reconnue entre mille. Il n'avait pas le moins du monde songé sauter, ni se faire remarquer, voulant seulement prendre de la hauteur, voir l'infini au loin. Ce défi lancé par Noelie était pourtant le signe attendu. Sans hésiter, Bruno plongea. D'une telle hauteur, un saut de l'ange pouvait briser des cervicales. L'athlète fendit l'épaisseur de la mer sans une éclaboussure. Une intense salve d'applaudissements s'ensuivit. Sitôt revenu à la surface, Bruno chercha Noelie des yeux. Elle seule n'avait pas bronché, et soutint sans ciller son regard explicite.

Maintenant qu'une décision avait été prise, ils n'avaient plus le choix.

Il fallait se parler.

12

Malacria accueillit à bras ouverts ce militaire très droit. Si à son goût le jeune homme était un peu réservé, Nestore se faisait fort de vite le débrider. Il lui proposa de l'emmener au tripot et lui parla d'une précieuse porte au fond de la salle. De vraies fées. Bruno déclina l'offre, arguant d'une indisponibilité passagère. Pour l'élégant jeune homme, ce mensonge ressemblait à un coup de coude dans les côtes, appuyé d'un clin d'œil.

— C'est entendu, fils. Nous irons quand tu seras soigné. Ma Noelie n'aura qu'à s'en féliciter, tu verras…

Les deux hommes avaient continué de se parler. Ou, plutôt, Bruno avait encore dû écouter Malacria, qui se découvrait sans faire beaucoup de mystères. Le futur gendre, confronté en privé au bloc Nestore, fut fortement ébranlé.

— Chic type, résuma-t-il à Noelie.

— Arrête.

Elle avait répondu sèchement, d'une voix que Bruno ne lui connaissait pas et qu'il ne lui entendit pas souvent. Noelie fixait Bruno d'un regard si dur, malgré tout si implorant, que le jeune homme comprit qu'il ne devait pas insister. Ni maintenant ni jamais. S'il tenait à Noelie, il faudrait accepter ce pacte de silence entre eux, ne plus poser de questions, ni se hasarder au moindre commentaire. La rencontre entre Malacria et Bruno ne gâcha donc pas tout.

L'aviateur s'accordait en revanche merveilleusement avec sa future belle-mère, conquise par les façons très polies du jeune homme. Sa fille lui ressemblait beaucoup sur ce point. Sur bien d'autres, les deux femmes étaient très différentes, Bruno ne tarda pas à s'en apercevoir. La modernité innée de Noelie n'avait pas son berceau dans les propos traditionalistes de Camilla. Non plus que sa liberté de pensée. Ou son esprit d'entreprise. Incroyablement proches et liées par la même étrange histoire, elles évoluaient dans deux époques différentes qui se respectaient fièrement l'une l'autre. Dorénavant, Bruno serait heureux de faire partie de cette belle famille.

Ses parents à lui étaient morts en 1917 de la grippe espagnole, laissant derrière eux un orphelin de sept ans, rescapé de la guerre et du virus tueur, qui dut beaucoup prouver avant que Noelie ne le prenne dans ses bras.

Bruno et elle commencèrent à se promener en se tenant la main, comme tous les fiancés. Eux n'allaient pas manger une glace sur la place Navone de

Rome ou marcher le long du Tibre. Ils se perdaient dans les venelles sombres de la médina de Tripoli, et ça les faisait rire. Leurs propos badins et leurs yeux amoureux regardaient l'exotisme des portes en bois de palme ou l'ingénieux système de poulies pour monter les courses à l'étage des maisons. Quand ils s'enhardissaient à évoquer leur futur voyage de noces, les visages devenaient sérieux sous le fard. Ce ne serait pas la Côte d'Azur, ni l'Orient-Express jusqu'à Venise. On n'était plus en guerre, la Libye étant officiellement pacifiée, mais Bruno n'aurait droit qu'à trois jours de permission après son mariage. Il fallait donc voir autour de soi, pas trop loin, pour qu'on puisse s'y rendre à cheval ou à dos de chameau, en descendre pour la nuit, et revenir à temps à la base.

— Leptis Magna ? proposa Bruno.

La cité antique (qui, avec le port d'Oea et Sabratha, formait les trois villes qui donnèrent à Tripoli son nom) faisait beaucoup parler d'elle. Des archéologues venus d'Italie en nombre y reconstruisaient l'immense amphithéâtre romain de Néron, l'arc de triomphe de l'empereur Septime Sévère, et exhumaient thermes et nymphées censés attester d'une romanité fondatrice. Mauvaise pioche pour un Mussolini à la recherche de justifications étayant son parallèle entre la grandeur passée de l'Empire romain et celle qu'il voulait reconstituer. Car les archéologues, loin de se contenter de creuser, se voulurent historiens, et la découverte d'écritures puniques les fit pencher pour une tout autre version des faits.

Leptis Magna avait été grande. Très, même. Elle avait bien sûr voulu le montrer aux caravaniers qui, après de dures semaines dans le désert saharien, y arrivaient exsangues. Las, cette apparition très Las Vegas dans l'idée, et pour l'époque dans l'effet, n'était due qu'à des artistes phéniciens. À personne d'autre. C'était pour devenir encore plus grande que Leptis avait *accepté* de se rapprocher de Rome et de lui *vendre* du blé, la meilleure huile d'olive du monde, des dattes, des fauves et, oui, déjà quelques esclaves comme ça se faisait à l'époque, mais alors à prix d'or. On était loin de l'absolue mainmise qui se jouait deux mille ans plus tard, sur un pays à qui non seulement on retirait ses droits, mais dont on essayait aussi de réécrire l'histoire. Vraiment contrariant pour Mussolini. Si ces pseudo-archéologues continuaient de travailler n'importe comment, le Duce ne tarderait pas à les faire rentrer au bercail, et surtout dans les rangs. N'avaient-ils pas compris, ces crétins, qu'ils étaient payés pour obéir à une Grande Idée plutôt qu'à des faits scientifiques ? Si cette dissension se racontait sous le manteau, elle était parvenue aux oreilles de Bruno, qui n'était pas, comme on s'en souvient, un chantre du régime. N'exagérons pas, ce n'était pas non plus un idéologue progressiste. Mais une virée romantique avec sa douce dans le forum insolent de ruines rebelles ne serait pas pour lui déplaire.

— Mmmm…, dit Noelie, très mollement.

Elle aimait beaucoup les rochers, nettement moins les pierres.

Bruno n'avait pas tout dit.

— Attends un peu. Juste à côté de Leptis, il y a Sabratha. Je sais, tu vas me dire que ça ne vaut pas Homs, le Monte-Carlo syrien... Mais c'est trop loin, Homs, et sous mandat français. Oublions Homs. Ghadamès alors ? Les enceintes chaulées en blanc, d'avion ça m'a semblé très beau. En journée, nous pourrions parcourir le désert, et rejoindre le soir la maison en pisé de M. et Mme Ongaro, qu'en dis-tu, chérie ?

Il attendit la réponse avec confiance et émotion, comme le montrait son sourire.

— Alors prenons ton avion, décida Noelie.

Ça, Bruno n'avait pas prévu.

Il ne sut quoi répondre. Il repensa à la carlingue rouillée et brûlante. Aux effluves malodorants d'huile de moteur. Au casque et aux lunettes, qui laissaient des traces rouges sur le visage. À la poussière qu'on avalait, et à l'air qui manquait. Il pensa surtout aux risques et montra à Noelie son avant-bras marqué des cicatrices d'une vilaine brûlure. Son avion s'était écrasé en mission. Une avarie technique impossible à identifier parmi les débris de ferraille. On n'avait pas compris non plus comment son copilote et lui avaient pu en sortir vivants. Le moteur avait explosé au moment de l'impact au sol. Par miracle, ils avaient seulement été brûlés en rampant hors d'atteinte.

Six mois plus tôt, leur premier crash s'expliquait facilement. Vents tourbillonnants au-dessus du djebel Nefoussa et tempête de sable. Le quotidien, en somme. Parfois, allez savoir pourquoi, ça ne passait pas.

— Tu es toujours pilote ? ! ! plaisanta Noelie.

Pourtant, elle ne trouvait pas ça drôle du tout.

— Ils manquent de personnel ces temps-ci, alors ils m'ont gardé. J'espère que tu te montreras aussi magnanime qu'eux.

Pour Bruno, qui n'en faisait pas souvent, c'était une phrase.

Pour Noelie, qui n'était pas bête, une déclaration.

Il fallait très vite commencer les préparatifs du mariage. Il eut lieu en grande pompe, dans la cathédrale. En présence de Camilla, très émue, du *podestà* de Tripoli en uniforme, d'officiels nombreux et de tous leurs amis. Seuls manquaient le père, la mère et le *Signore* Malacria. À cet instant-là, nettement plus fort qu'un autre, eux trois manquaient vraiment. Au milieu de la foule, malgré la musique et la joie, Camilla se demanda si elle pourrait un jour se recueillir sur leurs tombes. Noelie devina, sentit, ou bien elle aussi se rappela. Elle prit les mains de sa mère.

— Merci pour tout, maman.

Un vrai merci, lourd et profond. Il y avait le tissu de la splendide robe blanche, le voile en dentelle et des mètres de traîne. Camilla n'osa pas risquer de les froisser en serrant longuement sa fille contre elle.

— On est le 4 février 1932, dit-elle tout de même.

— Oui, cette date aussi…, murmura Noelie, en souriant faiblement.

Il avait fallu toutes les autres, avant.

— Alors, pour l'avion ? redemanda Noelie à Bruno, puisque l'heure était venue.

Bruno venait d'épouser Noelie. Il n'avait aucune intention de la perdre déjà. C'était hors de question.

— Nous verrons, dit-il, pensant gagner du temps.

Ce fut tout vu.

Il y avait d'abord la nuit à passer. Évidemment, Noelie était vierge. Si Bruno n'était plus puceau devant Dieu, il le fut par amour. C'était charmant, mais ne facilita pas leurs affaires. Au matin, Noelie songea à sa mère en se disant qu'on pouvait en effet se retrouver enceinte sans s'être rendu compte de rien. Bruno et elle s'étaient pourtant réveillés tête-bêche, signe qu'il s'était tout de même passé quelque chose.

Les mariés s'installèrent dans les appartements de Noelie. Quoique privatifs, ils restaient à l'intérieur du palais. Nestore avait proposé qu'on leur construise une maison, si aucune de celles qui existaient dans le quartier ne leur plaisait. Ils avaient refusé. Cela aurait fait terriblement enfants gâtés.

Il était question que la base aérienne de Bruno soit transportée en Cyrénaïque, l'autre province libyenne située côté Égypte. Son histoire avait plus été influencée par la Grèce que par Rome, puis par le Machreq plutôt que par le Maghreb. C'est là que s'était concentrée la résistance des Sanussi, emmenée par le chef de leur dynastie, l'émir Idris. Récemment soumis, il venait de s'exiler en Égypte. Si l'on sait qu'il deviendra le premier roi du Royaume-Uni de Libye jusqu'au coup d'État d'un certain Mouammar al-Kadhafi, on conçoit mieux les formes très modérées que prit sa prétendue retraite. Il n'était donc pas inutile pour les Italiens de montrer encore les muscles, ni absurde de faire survoler l'oasis de Djarboub par de dissuasives escadrilles. On se passerait cette fois des balourds aéronefs utilisés contre les Ottomans en 1911, merci. Une rumeur commença même à circuler pour dire que les poussifs bimoteurs seraient remplacés. On rêva de toucher les flambants Fiat CR.20, des avions de chasse très tendance à l'époque. La mission ne présentait pas de difficultés particulières. Il s'agirait de laisser tomber une grenade de temps en temps, si l'on croyait voir un Bédouin bouger. Ces avions étant des bombardiers, à l'occasion on pouvait faire plus. Pour Bruno, c'était le métier et la possibilité d'une montée en grade, qui mécaniquement augmenterait la solde. Surtout, il était militaire et n'avait pas le choix.

En 1933, ils partirent donc s'installer dans la capitale de la Cyrénaïque, une ville nommée Benghazi. Ce mouvement présentait des avantages pour le jeune couple, désireux de s'émanciper de Nestore. Il avait aussi quelques inconvénients. Noelie était triste de laisser les poules et un petit chat moins sauvage que d'autres, qui venait souvent se frotter à ses jambes. Sans parler de devoir s'éloigner de sa mère, dont elle n'avait jamais été séparée. Heureusement, Noelie était enceinte. Mère et fille décidèrent qu'aussitôt la naissance, Camilla viendrait aider à s'occuper du bébé.

Nestore eut juste le temps de refuser net, avant

d'être assassiné. On parla du geste politique d'un fanatique libyen.

« Tout le reste est silence », avait dit Hamlet en mourant.

Camilla put s'installer pour de bon à Benghazi.

13

Bruno et Noelie prénommèrent leur premier-né Ned. Quelqu'un s'en étonna. Pourquoi ne pas donner à cet enfant le nom de son grand-père récemment disparu ? Ce sera Ned. Point. Dans la Libye fasciste, l'Amérique n'était pas en odeur de sainteté. Ne serait-ce pas plus convenable que ce petit ait un prénom italien ? Vous avez raison, Ned s'appellera Ned-Mohammed.

De toute façon, à l'instant où elle rencontra son fils, Noelie rêva qu'un jour on le rebaptise du fait de sa grandeur, comme il était arrivé au consul Scipion, plus tard dit *l'Africain*.

— Je ferai ton bonheur, murmura-t-elle à la minuscule oreille.

Un quotidien heureux s'organisa dans une économie de moyens retrouvée. Le système social du fascisme fut seulement promesse, la toute récente veuve ne perçut pas de pension. Bruno partait au travail, y restant parfois plusieurs jours, Noelie allaitait, et Camilla, pour ne pas être à charge, faisait tout le reste : l'installation de la maison, qui serait simple mais fonctionnelle, la cuisine où elle excellait, et surtout les promenades et les jeux de balle avec l'enfant.

Avant même de savoir marcher, Ned-Mohammed fut mis à l'eau. Benghazi était au bord de la mer, sur le golfe de Syrte, et les baignades reprirent. Ce bébé était une merveille et ce fut un poisson. Noelie l'arrimait fermement sur son dos avec des liens en tissu pour l'emmener nager. Parfois, pendant la brasse, elle se retournait, ce qui faisait brusquement plonger l'enfant. Cela lui faisait peur mais il en redemandait. Il avalait l'eau transparente, toussait, riait puis étouffait encore sous les baisers de sa mère.

Cette fois, Noelie était vraiment heureuse. Mais, fait nouveau, elle se sentait fragile. Ses nombreux départs dans la vie lui avaient donné la peur que tout s'arrête d'un coup. Elle savait avoir beaucoup à perdre maintenant, et se mit à guetter avec appréhension les retours de Bruno, non comme sa mère l'avait fait avec son noceur de mari, mais parce que Noelie craignait tout bonnement pour la vie du sien. Elle le lui dit un soir.

— Je vais venir avec toi.

— Où ça ?

— Dans l'avion.

D'une certaine manière, ils avaient déjà eu cette conversation à propos du voyage de noces qu'ils n'avaient d'ailleurs toujours pas fait. Ce soir-là, Bruno sentit la pointe d'angoisse dans la voix de sa femme.

— Qu'est-ce qui se passe ?

— J'ai peur pour toi. Tu es déjà tombé. Si ça arrivait encore ?

Bruno repensa au problème de fuselage qu'il avait eu la veille. Sa trajectoire s'était subitement brouillée et il avait évité la catastrophe de peu. Il savait donc de quoi parlait Noelie, même s'il lui répugnait d'y penser.

— Moi à tes côtés, il ne t'arrivera rien. Voilà ce que je crois.

En disant cela, Noelie avait retrouvé toute son assurance. C'est Bruno qui fut ébranlé.

— On n'a pas le droit d'emmener des civils à bord.

— Qui te parle de le dire ? On va seulement le faire.

Le lendemain, Noelie faisait son entrée dans la carlingue. L'habitacle, étroit et encombré, ne se laissa pas tout de suite apprivoiser. Si Noelie était plus mince qu'un copilote, elle était moins habituée, et se cogna partout. Bruno lui expliqua des rudiments techniques, non pour qu'elle l'assiste en mission mais parce qu'elle voulait savoir. Bruno pouvait évidemment faire voler seul son avion. Il en avait les commandes et, ô combien, les compétences. Il entendait d'ailleurs que Noelie ne soit que pure présence à ses côtés ou, comme elle l'avait dit, une simple accompagnatrice superstitieuse, censée le protéger.

— Si tu as peur ou s'il y a quoi que ce soit, tape-moi sur l'épaule. Je nous poserai immédiatement, dit-il.

Elle redescendit de l'avion. Pour y remonter le plus

vite possible. Ce n'était pas si simple. Elle dut refaire l'exercice plusieurs fois avant que cette gymnastique ne devienne tout à fait fluide. Puis elle rentra chez elle.

Ils s'étaient donné rendez-vous à 18 heures. Le plan de vol prévoyait un départ à la demie. C'était une mission de nuit, les plus dangereuses, celles que Noelie ne voulait plus manquer. Dans le salon de sa maison, Noelie lut Dickens, qu'elle adorait. Elle joua avec son fils puis annonça à Camilla qu'elle sortait pour la nuit. Sa mère écarquilla les yeux. Elle allait se mettre à tempêter, quand Noelie ajouta :

— Je rejoins Bruno. Nous ne dînerons pas là.

— Oh, tu m'as fait peur…

Si elle avait su.

À l'heure dite, Bruno vérifia comme à chaque sortie le fuselage et les pneus de son avion. Il monta dans l'appareil et contrôla le tube de la jauge d'huile, le niveau de carburant et tous les instruments de vol. Il ajusta ses lunettes et son casque de cuir, mit son harnais de sécurité et enfin le contact. Il commença à rouler sur la piste, devenue caillouteuse après le demi-tour. Arrivé au bout, prêt au départ, Bruno vit Noelie surgir de gros bosquets touffus où ils étaient convenus qu'elle se dissimulerait. Elle grimpa prestement à bord pendant que le moteur tournait, et cala sous ses fesses le gros coussin qu'elle avait pris soin d'apporter.

— On est partis ! cria-t-elle.

L'avion prit de la vitesse et enfin son envol. Noelie avait agrippé le siège avant pendant que l'appareil tressautait sur la piste. Elle le serra davantage quand il s'éleva. La sensation était inouïe. Bruno aussi la ressentit, la présence de Noelie lui faisant prendre conscience de chaque chose avec plus d'intensité. Il lui semblait être en train de décomposer un protocole qui, d'ordinaire, même s'il était tout autant concentré, s'enchaînait naturellement. Les mains sur le manche, les pieds sur le palonnier, le regard partout. Tétanisée, Noelie ne voulait pas savoir où était le sol. Pourtant, c'est ça qui était beau. Plus que garder les yeux rivés sur ses chaussures. Quand l'avion atteignit une altitude confortable, Noelie se détendit enfin un peu. En regardant au loin, on voyait toute la mer. C'était magnifique, elle commença à s'en rendre compte. Par contre, les éructations du moteur étaient pénibles, même avec un casque. Le coucher de soleil devenait assourdissant, et ce vacarme ne convenait pas du tout à l'image orangée. Bientôt, Noelie s'habituerait à cette anomalie, comme au fait de traverser un nuage.

— Ça va ? lui cria Bruno.

Elle n'entendait pas.

— Ça va ? redemanda-t-il.

Comme il ne recevait toujours pas de réponse, il se tourna vers elle.

Elle poussa un cri de terreur.

— Regarde devant toi !

Il rit.

Finalement, elle aussi.

Ils l'avaient fait.

Elle, surtout.

Le ciel devint écarlate, lentement violet et enfin rose. Ce fut la nuit. L'avion volait toujours, mais on ne voyait plus rien, ni la mer ni le désert. C'était devenu calme, malgré le bruit. C'était bon, malgré la peur. Noelie enleva le coussin de ses fesses et le posa contre la paroi de la carlingue pour qu'il devienne un oreiller. Là, aussi étonnant que cela puisse paraître, elle s'assoupit.

Bruno se souviendrait toute sa vie de ce vol, sa femme, et quelle femme, endormie derrière lui, le désert tranquille sous l'avion, les loupiotes au loin qui le dirigeaient. S'il n'avait eu peur de la réveiller ou qu'elle ne se fasse mal, de bonheur il aurait volontiers fait un looping. Même deux. Il finit par revenir sagement se poser à la base, et réveilla Noelie d'une caresse sur la joue. Ils entrèrent chez eux sans bruit pour ne réveiller personne, et firent l'amour sans bruit aussi. Tout ça se passait de mots.

Italo Balbo n'était pas ce qu'on appelle un rigolo. Les débuts de sa carrière fasciste avaient été marqués par les efficaces expéditions punitives de *squadristi* qu'il avait organisées contre des ouvriers grévistes. Il avait commandé la milice générale au moment de la Marche sur Rome. Cette dernière avait amené Mussolini au pouvoir, et Italo Balbo avait été chaudement remercié. Ce pilote émérite réalisa dès 1930 plusieurs vols transatlantiques, avec poignées de main et félicitations du futur président Roosevelt. Juste après ces exploits, Balbo devint un probant ministre de l'Aviation italienne. Quand, en 1934, il fut nommé gouverneur général de Libye, c'est tout naturellement qu'il garda un œil attentif sur l'aéronautique militaire en place. Dès cet instant, Bruno et les autres pilotes eurent, eux aussi, un œil sur lui. Inquiet, l'œil. Tous se demandaient comment il les jugerait. Sévèrement, à n'en pas douter. Italo Balbo, on ne pouvait la lui faire. Il faudrait être un pilote exceptionnel pour mériter une remarque obligeante de sa part, faire montre d'un courage sans faille et surtout, c'était un minimum, être réglo.

C'est tout cela que Bruno eut à l'esprit quand Noelie, blottie dans ses bras dans ce moment extraordinaire, lui annonça que plus un vol de nuit ne se ferait désormais sans elle.

Coincé entre deux dragons, Bruno mit un quart de seconde à choisir son camp.

— Je t'aime, dit-il.

14

— Vous découchez encore ! remarqua plusieurs fois Camilla.

Elle était très intriguée par ces sorties nocturnes, moins inquiète cependant depuis qu'elle avait acquis la certitude qu'elles étaient conjugales. Camilla avait eu affreusement peur, la première fois que Noelie était partie la nuit, que cela ne devienne un danger pour son couple. Elle ne se doutait pas que c'en était devenu le ciment.

Apparemment, dans la maison, rien ne changea. Bruno était au travail. Son fils restait à la maison aux heures les plus chaudes de la journée, entouré de l'amour débordant de deux femmes. De temps en temps, Noelie embrassait le petit à l'heure de son coucher et se faufilait hors de la maison, son gros coussin sous le bras. Sourire aux lèvres, elle filait rejoindre son bel aviateur.

L'embarquement de Noelie était bien rodé mainte-

nant. Bruno s'arrêtait en bout de piste, moteur vrom-
bissant. Au dernier instant, elle surgissait des fourrés
pour se hisser avec souplesse dans la carlingue. Quand
Noelie était à bord, Bruno n'avait pas l'impression de
faire la guerre. Il n'y avait d'ailleurs pas matière : le
désert n'était plus guerrier. Noelie s'habitua à passer
la nuit dans les airs. Elle adorait s'endormir comme
une petite fille au bruit devenu rassurant du moteur.
Ces escapades étaient devenues romantiques, le jeune
couple les attendait avec impatience. Bruno se porta
volontaire pour tous les vols de nuit à effectuer, s'at-
tirant de ce fait les bonnes grâces de ses supérieurs
qui avaient déjà remarqué ce jeune homme brillant. Sa hiérarchie appréciait la précision des relevés
topographiques dont il avait la charge. Même si plusieurs pilotes surprirent le stratagème, aucun ne se
permit la moindre parole déplacée. Bruno se savait
en confiance. C'est pourquoi, en apprenant qu'Italo
Balbo demandait à le voir, Bruno tomba des nues.

— Vous savez pourquoi ? demanda-t-il autour de
lui.

Pour toute réponse, des sourires narquois, des
regards inquiets, un mélange de solidarité et de règlement de comptes, comme il en existe aussi ailleurs que
dans l'armée. Bruno, père de famille, réfléchissait aux
conséquences d'une mise à pied qui pouvait prendre
effet immédiatement, être longue et se révéler sans
solde. Cela aurait été catastrophique.

— Il a dû vous repérer, dit un mécano, d'un ton
mauvais.

C'était le cas, et ne concernait pas la présence de Noelie dans l'avion. Le gouverneur Balbo, virulent fasciste de la toute première heure, venait de choisir Bruno pour piloter son puissant trimoteur de Benghazi à Tripoli, aller-retour dans la journée. Le commandant de la base lui avait glissé le nom de ce pilote particulièrement valeureux, qu'il était juste de distinguer. Cela fit des jaloux parmi les pilotes, que cet honneur insigne aurait rendus fiers. Manque de chance, c'était tombé sur Bruno.

L'Italie de 1937 n'était plus celle de la ferme du père, à Imperia. À certains égards, on pouvait s'en réjouir. Il fallait également commencer de s'en inquiéter. Mussolini avait organisé son État totalitaire. Il étendait une main féroce sur le pays jusque dans l'Empire, qu'il rêvait d'agrandir. C'étaient la Première Guerre mondiale et l'effondrement des partis politiques traditionnels, qui l'avait précédée et surtout suivie, qui avaient permis la victoire du fascisme. Ces origines se retrouvaient dans l'instinct guerrier qui le parcourait toujours, même arrivé à maturité. L'Italie n'était plus un pays de fleurs, de barcarolles de gondoliers vénitiens ou d'opérettes légères. Elle s'était refermée. Non seulement pour masquer les difficultés qui ne manquaient pas, mais aussi par un réflexe autarcique préventif qui n'annonçait rien de bon. L'*Italien nouveau*, clé de voûte d'un régime qui voguait à pleine puissance vers la catastrophe, ne trouvait pas de meilleure illustration qu'en la figure du soldat, qui devait «croire, obéir et combattre». On demandait évidemment à tous les cadres d'être des exécutants dociles, on attendait plus des militaires. Il leur fallait montrer supplément d'âme. Toute trace de tiédeur vis-à-vis du régime était traquée, dûment sanctionnée.

Juste avant l'heure du transport officiel, Bruno se promit de ne pas dire un mot de travers et de filer doux, tout en volant droit. Il y avait plus difficile comme mission, ce ne fut pas simple. Italo Balbo voulut parler avec lui. Pire, il voulut le faire parler. Seulement de politique, on imagine bien. Terrain glissant.

— Qu'avez-vous pensé de la campagne d'Abyssinie, capitaine Ongaro ?

Capitaine ? Bruno avait bel et bien reçu un avancement lors de sa mutation à Benghazi.

— Je ne sais pas, mon général.

Cette seconde guerre entre l'Italie du Duce et l'Éthiopie d'Haïlé Sélassié Ier venait de s'achever. Elle avait conduit à l'occupation du royaume du Négus par les forces de la dictature fasciste, comblant un peu sa soif de territoires où démontrer son absolue supériorité. Hitler en avait été impressionné. Mussolini d'autant plus ravi.

— L'Afrique orientale italienne ?

— Oui, mon général ?

— Eh bien, qu'en pensez-vous ?! ! !

— Je ne sais pas non plus, mon général.

Depuis l'année précédente, cette appellation réunissait l'Éthiopie, l'Érythrée et la Somalie en une fière entité coloniale.

— C'est éclairant de parler avec vous, Ongaro.

— Désolé, mon général.

Las, cette petite conversation ne s'était pas arrêtée tout de suite. Le supplice avait duré trois bonnes minutes. Bruno se crut assez malin, en quelque sorte assez courageux, pour se faire passer pour un parfait idiot. Mais il en avait trop dit. Ou pas assez, ce qui revenait au même. Son soutien au régime n'avait pas paru conforme. Ses rêves impérialistes avaient été mous et évasifs. Sa connaissance des valeurs fascistes, lacunaire. Balbo, tout miel mais regard dur, n'avait pas réussi à lui arracher un seul de ces « Viva il Duce! » qui, d'ordinaire, ponctuaient toute conversation digne de ce nom. On avait été très loin du compte.

— Pour conclure, que pensez-vous du PNF?

— J'ai pris ma carte, répondit Bruno. Comme tout le monde.

Lui avait détourné les initiales du Parti national fasciste et raillait cette carte *Par nécessité familiale* mais personne n'en savait rien, sauf Noelie qui était une tombe.

— Ce n'est pas ce que je vous demande. Qu'en pensez-vous?

Ce qu'en pensait Bruno, il le garda pour lui. Qu'on puisse trouver à applaudir les lois fascistissimes ne trouvait d'explication que dans une grave crise morale. Bruno avait grandi seul, il avait étudié les philosophes des Lumières, qui l'avaient habitué à l'inconfort de penser par soi-même. Le fascisme prétendait savoir ce qui était bon, juste et beau, les ouailles répétant bêtement. Tragique paresse intellectuelle, voilà ce que pensait Bruno, et qu'il ne dit pas. Puis il rentra chez lui.

— Je vis dans un pays que je ne connais pas, lui dit Noelie pendant le dîner. C'est souvent comme cela, n'est-ce pas ? On aime, sans vraiment connaître. C'est dommage.

Quand ils furent dans leur lit, Bruno sur le point de s'endormir, Noelie poussa son idée plus avant.

— Je voudrais que tu m'emmènes lors d'un vol de jour.

Elle se retourna, lissa les couvertures et fit à son mari une caresse de bonsoir. Bruno ne ferma plus l'œil de la nuit. Au matin, il n'avait toujours pas trouvé comment refuser de partager sa passion des airs avec la femme qu'il aimait plus que tout.

Ce fut délicat à organiser. Par souci de discrétion, il était impossible pour Noelie de monter à bord en plein jour depuis la piste principale. Il lui fallut quitter Benghazi en voiture avec Giuseppe, un ami, et attendre dans le désert, près du puits de Bou Njem où Bruno devait atterrir. Là, Noelie et Giuseppe patientèrent en compagnie d'une famille de Touareg venus chercher de l'eau. Les nomades en furent un peu surpris, mais on était encore tout près de Benghazi. Ces rencontres, quoique nettement plus rares avec une roumie femme, avaient parfois lieu. Noelie leur dit *bonjour* en arabe et *comment ça va*. Puis elle recommença à guetter du bruit dans le ciel, en essayant de repérer le point brillant d'un avion au loin. 11 heures du matin, la lumière était aveuglante, c'était déjà l'heure blanche. De toute façon, on n'entendait encore rien.

Noelie, assise en tailleur sur le sable, eut l'idée de chanter à l'attention des deux enfants touareg qui la dévisageaient à distance. Quand elle commença, l'instant fut suspendu. Il devint magique quand la petite fille s'approcha d'elle. L'enfant resta d'abord prudemment à deux mètres, puis elle vint s'asseoir sur les genoux de Noelie, qui n'osa plus faire un geste de peur de tout gâcher. Elle y réussit si bien que le garçonnet, à son tour, s'approcha. Toutes les berceuses ligures et piémontaises de Noelie défilèrent. Il fallait absolument continuer de chanter. Les parents vinrent écouter. À leurs yeux, on voyait qu'ils souriaient. La voix grave de Noelie n'était pas adaptée à la douceur du répertoire, ni à l'équilibre fragile du moment. Mais elle mettait dans ses chansons toute la tendresse dont elle était capable, et cela ne pouvait que réussir. Quand elle s'arrêta, personne n'applaudit. Les Touareg ne célèbrent pas ainsi. La petite fille mit juste les doigts sur les lèvres de Noelie pour tenter d'attraper d'autres merveilleux sons.

Tout ce temps, Giuseppe était resté près de la voiture, dans l'exacte position où la première chanson l'avait surpris, sans même oser claquer la portière.

Le père des enfants fit alors une chose impensable. Il s'assit face à Noelie, posa sa lance et son bouclier sur le sol, et descendit son chèche pour libérer ses lèvres. À son tour, doucement, il commença à chanter en dialecte berbère, la langue de son enfance à lui, celle de toute son histoire. Noelie, hypnotisée, garda les enfants dans son giron pendant toute la mélopée de leur père et personne ne se rendit compte de l'avion en train de se poser près d'eux. L'appareil soulevait pourtant des tourbillons de sable chaud, qui piquaient les yeux et entraient dans les narines. Les lèvres du Touareg remuaient sans qu'on entende plus rien. C'est seulement quand Bruno posa la main sur la nuque de Noelie que la parenthèse s'acheva. Eut-il conscience d'arriver au seuil d'un paradis ?

Giuseppe repartit en voiture. La famille touarègue retourna vers son chameau qui baraquait non loin, et le lesta de poches de cuir remplies d'eau claire, tandis que Noelie montait dans l'avion. Elle avait encore la chair de poule de cette rencontre.

— Ne décolle pas tout de suite. Laisse-moi d'abord atterrir, dit-elle à Bruno.

Avec lui, elle regarda la méharée s'éloigner calmement vers les dunes. Si Bruno avait été fumeur, il aurait dû sortir une cigarette d'un paquet mou et la savourer, adossé au fuselage brûlant, pendant que Noelie, assise à l'ombre de l'habitacle, aurait continué de se taire.

Elle reprit la parole pour être, comme souvent, gourmande de la vie.

— Comment ça marche, ton engin ?

Bruno la connaissait bien. Il ne se trompa pas sur ses intentions.

— Non. Une femme ne peut pas voler.

— D'accord. Explique-moi deux choses, non plus

une seule. D'abord, comment on pilote. Ensuite, ce qu'ont les femmes en moins, selon toi.

Elle souriait, mais c'était pour rire. Elle était très sérieuse. C'est donc dans le désert, pendant qu'à la maison Ned mangeait sa purée de carottes et une dorade grillée, que Noelie reçut sa première leçon de pilotage. Il y en eut d'autres, toujours dans le désert, à l'abri des regards. Ce n'était pas sorcier, même s'il y avait beaucoup de choses à penser en même temps. Les pédales étaient liées, l'une enfoncée faisant saillir l'autre. Cela servait à actionner l'empennage.

— C'est quoi, l'empennage ?

— La queue. C'est elle qui fera tourner l'avion. Pour que ça marche correctement, il faut que tu pousses le manche sur le côté en même temps, comme ça…

C'était simple. Le seul problème, c'est qu'en cas d'erreur on n'avait pas un simple bout de tôle froissée à remplacer chez le carrossier. Il était bien clair qu'il ne fallait pas se tromper. Le jour où Noelie s'assit à l'avant de l'avion, c'est-à-dire aux commandes, fut donc, pour eux deux, un jour particulier.

— Tu es sûre ? redemanda Bruno.

Noelie était déjà ailleurs. Déjà concentrée sur ce qu'elle avait à faire, et qu'elle allait faire. Il eut l'impression qu'elle lui marmonnait quelque chose comme *Pas toi ?* Et il pensa *Honnêtement, bof.* Avait-il le choix ?

Avec des gestes méthodiques, Noelie s'apprêtait à faire voler un avion pour la première fois de sa vie. Contacteur, démarreur, gaz et manche. Le coucou s'éleva. C'était déjà ça. L'honneur était sauf. La météo avait été dûment vérifiée, elle était bonne, sauf imprévu toujours possible dans le désert. Noelie connaissait l'itinéraire et avait des repères visuels, plusieurs fois indiqués par Bruno lors des vols précédents. Elle avait maintes fois répété les manœuvres dans l'appareil encore au sol, ou dans le vide, voire simplement dans sa tête pendant qu'elle nageait ou montait à cheval des heures durant. Il suffisait de les refaire.

Noelie se retrouva bel et bien en train de piloter. Seule ! Mais elle ne vit rien, ne ressentit rien, n'entendit même pas les conseils de Bruno. Ce vol fut un trou noir. Lui en restèrent une tunique trempée de sueur et un torticolis. Noelie n'eut en mémoire ni sensations ou paysages, ni rien de ce qui faisait l'attrait de l'exercice, par-delà le défi. Trop concentrée à survivre au moment, elle n'avait pu le vivre.

Bruno savait ce qui allait suivre. Cela ne manqua pas.

— Je veux recommencer.

L'espace d'un instant, Bruno fut partagé entre fierté et découragement. Heureusement, lui aussi était d'une belle trempe. Il ne regretta jamais de n'être pas plutôt modeste fonctionnaire des postes, et laissa Noelie aux commandes.

Les vols suivants obéirent au même rituel strict et à une concentration absolue. Peu à peu, ils firent enfin place aux images inoubliables de regs, de bandes de gazelles, et d'un Sahara immaculé de couleur or qui défilait sous les ailes de l'avion. Noelie éprouva des sensations inconnues. Son corps s'ouvrit au ciel. Au-delà de la démonstration de force, elle comprit la leçon. Vu d'avion, un scorpion des sables ne différait pas d'un bouton de fleur. L'importance des choses devenait relative. Les souvenirs qu'on ne pouvait pas partager, les colères passées, tout cela disparaissait quand la vie ne tenait qu'à un écrou. S'il tenait bon, la vie brillait, grandiose. Fissuré, elle s'arrêterait d'un coup. La loi n'était plus celle des hommes. Seule valait celle du plancher et du plafond des nuages, et de ces décisions qui se prennent sans réfléchir, qu'on appelle le destin. C'est ce que Noelie comprit, ce qu'elle raconta à Bruno. Il l'écoutait, il partageait, mais devait aussi travailler, instructeur officieux de sa femme n'étant pas un métier. Ces épisodes furent donc rares, et toujours volés. N'empêche, ils avaient existé.

Restait à Noelie beaucoup de temps libre. Aucune femme italienne de sa connaissance ne travaillait. Elles n'étaient d'ailleurs pas légion à Benghazi, moins qu'à Tripoli en tout cas. Militaire dans l'aéronautique n'était pas une profession de tout repos et il y avait, c'est certain, des mariages plus rassurants pour une demoiselle. Si l'on jouissait en Libye d'un petit confort et d'opportunités que n'offrait pas toujours la métropole, il fallait tout de même un tempérament d'aventurière, voire de pionnière, pour vivre à plein cette expérience. C'était le cas de Noelie, mais disons-le franchement, ces femmes-là ne courent pas les rues.

Elle recommença à rêver de poules. Cette fois, ce n'était pas pour occuper sa mère, qui avait fort à faire avec le petit Ned. Camilla le gâtait beaucoup. Ce n'était pas pour qu'il ait, lui, ce qu'elle n'avait pas eu. Camilla n'avait manqué de rien, ou n'en avait rien su. Mais les choses avaient changé. Le quotidien était maintenant parsemé de sucreries, de jeux répétitifs et de caprices terrifiants. Ce qui restait à peu près normal pour un garçonnet de deux ans le serait nettement moins quand il en aurait quarante.

Certaines soirées, quand il faisait plus frais, Bruno prenait son fils sur ses épaules et tous les quatre sortaient se promener vers un glacier de la corniche, puis sur la plage. Mère et fils se baignaient avec joie, de l'eau aux genoux pour Noelie, le petit, qui marchait tout juste, apprenant déjà à nager. C'étaient des heures tranquilles.

Il y eut les poules. Noelie n'avait pas l'obsession des gallinacés, elle en avait seulement l'habitude. Plusieurs fois, Noelie s'était trouvée émue par le roucoulement d'une tourterelle à l'orée du désert, par le survol de lapins de garenne, ou la simple présence d'une colombe dans un square fleuri de la ville. Cette sentimentalité n'était pas commune chez les paysans. À Imperia, père aurait pensé *marche ou crève*. Comment Noelie avait-elle pu s'affranchir de ses origines campagnardes ? Toujours est-il qu'à ce sujet aussi elle se distinguait des siens. Noelie aimait les animaux, surtout les poules, plus logeables que les chevaux.

Le ministre des Colonies avait entrepris d'améliorer

les races indigènes, qui, celles-là au moins, ne résiste-
raient pas. Pour rendre l'entreprise concluante et per-
mettre des croisements eugénistes, il avait fait venir de
l'étranger vaches, moutons et compagnie, qu'on essaya
d'acclimater aux conditions et à la végétation locales.
Les nouveaux arrivants eurent du mal, souvent la
diarrhée. Ce furent pourtant des poules gaillardes que
Noelie avait achetées, pour les installer loin de chez
eux cette fois, à l'ombre de grandes tôles recouvertes
de palmes. Arrivés là, les animaux n'avaient pas fini
leur périple. Noelie avait un plan.

— J'écoute…, dit Bruno doucement.

Il l'avait vue venir. Pas en louvoyant, ce n'était pas
son genre. Ni par une franche gaieté, car elle l'avait
toujours. Mais avec un sourire extatique et des yeux
brillants, caractéristiques de ses jours de lubie.

— Je vais livrer non plus les œufs, mais les poules
elles-mêmes.

Pourquoi pas, en effet, ça semblait une bonne idée.
Bruno ne le dit pas. Il se doutait que ce ne serait pas
tout.

— Je vais les livrer loin. À ceux qui en ont vraiment besoin et qu'on ne sait pas toujours facilement
trouver, si tant est qu'on les cherche pour de bonnes
raisons.

Diantre.

— C'est-à-dire ?

Bruno, patient et calme.

— Je vais les amener aux nomades du désert. Mais
je ne veux pas me casser le dos avec une méharée pour

des poules crevées avant d'avoir trouvé preneur. Ça doit être réaliste, fonctionnel et rapide, sinon c'est ridicule. Il me faut ton avion.

Bruno eut envie de rire. C'était l'effet que sa femme avait sur lui. Non qu'il se moquât d'elle, ou bien seulement avec tendresse, mais elle le prenait si souvent de court, elle avait une telle énergie, une telle flamboyance, que le rire était alors la seule défense possible. Là, rire n'aurait rien résolu. Il fallait la raisonner.

— Impossible.

— Bon sang, j'en étais sûre !

Silence buté.

— Tu me vois demander à mon officier supérieur une autorisation de vol pour faire taxi-poules ? Sérieusement ?

Silence buté.

— Noelie ?

Bruno sentit qu'il ne servirait à rien d'argumenter, ni d'en appeler à la raison et au règlement. Il savait d'expérience qu'il finirait par se retrouver bloqué dans un petit coin de leur discussion, sans issue de secours. Noelie était tellement passionnée et si entière que cela la rendait affreusement têtue. Il fallait frapper fort, tout de suite, sans quoi l'idée, pas mauvaise au demeurant, envahirait tout l'espace de leur cerveau, et se ferait.

— Tu as un fils de trois ans, Noelie. Ne l'oublie pas.

Noelie lui jeta un regard effaré.

— Déloyal !

— Déloyal, confirma-t-il.

Elle finit par sourire.

— C'est d'accord… ?

15

À ce moment de son existence, Noelie n'était plus la fille du *podestà*. Elle était en train de devenir maîtresse de sa propre vie et ne comptait plus que sur ses seules forces. Elles étaient grandes. Tant mieux, car l'organisation des expéditions sahariennes de poules demanda beaucoup d'énergie. Le marché conclu avec Bruno, et quel marché, était qu'il ne ferait rien d'autre que rendre ça possible. L'avion attendrait quelque part, où Noelie pourrait aller en camionnette. Elle chargerait les caisses et ramènerait *seule* l'avion, *vide et propre*, la nuit venue, à la base.

Si l'avion tombait et si l'armée découvrait ce qu'avait autorisé Bruno, il serait bon pour la cour martiale. De toute façon, si l'avion tombait ou s'il arrivait quoi que ce soit à Noelie, la vie de Bruno serait fichue. Que fait-on des gens comme elle ? On les enferme en cage ? Il ne lui dit même pas *sois prudente*. Elle était bien assez grande.

C'est Bruno qui avait l'occasion de faire des rencontres, qui devenaient des amis. C'est lui qui prenait l'initiative d'inviter pour un dîner à la maison. Si les gens y revenaient avec plaisir pour l'excellente cuisine de Camilla et la gaieté de cette famille intelligente, c'était aussi pour le charme fou de la maîtresse de maison. Noelie n'eut donc aucun mal à obtenir l'aide et la camionnette d'un certain Teobaldo.

Ils arrivèrent sciemment en retard au rendez-vous. Noelie préférait que ce soit Bruno qui ait chaud à attendre, plutôt que les poules. Décharger les caisses de la camionnette et les faire entrer dans l'habitacle de l'avion ne fut pas chose aisée. Les mauvais caractères voyageraient seuls, dans des boîtes individuelles. Les copines étaient regroupées dans de plus gros compartiments, sans excès de confort. Cela chagrinait Noelie.

— Ne sont-elles pas censées finir à la broche ? remarqua Bruno.

Comme promis, il n'avait pas levé le petit doigt pour aider.

Les poules pèsent moins lourd que les bombes. Ce n'était pas un problème de poids qui se posait, mais un problème de place. On empila les caisses. On en mit certaines de travers ou debout. Rien n'y faisait. Elles ne rentraient pas toutes.

— J'ai une idée, dit Noelie.

— Aïe.

— On sort les poules des caisses. On les attache les unes aux autres par une patte pour les mettre en guirlande, toutes à la queue leu leu. Je m'installe à bord, et vous me les montez !

La vision d'ensemble, au moment du décollage, ne fut pas triste. Un bombardier posé dans le désert. Une femme aux commandes. Des poules qui regardaient par la fenêtre de l'avion et qui voyaient, au-dehors, deux hommes en bras de chemise se gratter la tête. Les poules se montaient dessus, se donnaient des coups de bec ou se battaient vraiment. L'amitié était loin. Elles faisaient un vacarme épouvantable dans le cockpit. Noelie fit pourtant un geste joyeux de la main à l'attention des hommes, démarra les moteurs et décolla. L'avion disparut au loin.

Bruno et Teobaldo étaient remontés dans la camionnette. Ils roulèrent quelques kilomètres en silence.

— Je ne sais pas quoi te dire, dit finalement Teobaldo à son ami.

— Je comprends, sourit Bruno.

À moins de mille pieds, Noelie redressa le nez de l'avion et vira à l'horizontale. Elle regarda avec satisfaction la demi-boucle de fumée noire derrière l'appareil. La sensation de maîtrise restait fragile, celle de puissance était intense. Noelie ne volait pas plein nord, puisque c'était la mer. Elle avait tourné le dos à la Méditerranée et, suivant sa carte de route, s'était dirigée vers le désert Libyque suffisamment avant pour croiser des tribus de nomades. On était en automne, la meilleure saison. Les hommes, au sortir d'un été de fournaise, se rapprocheraient du littoral pour fuir les derniers assauts du *qibli*, ce vent de sable chaud qui cette année encore avait failli les tuer. C'était la saison des dattes. Non seulement les nomades étaient friands du fruit, mais ils avaient terriblement besoin de son sucre pour reprendre des forces. Ils se rapprochaient donc des oasis où elles mûrissaient. On allait bien finir par se croiser, en avait déduit Noelie. Le reste, où et quand, était plus incertain. Le plus vite serait le mieux, les poules étant devenues dangereusement silencieuses dans l'avion.

Noelie survolait le tracé sinueux d'un oued à sec, et scrutait le lointain. Apercevant le reflet blanc d'une carcasse de chameau, elle sut qu'elle avait pénétré assez profondément le pays bleu. Ce n'était plus qu'une question de minutes. Elle aperçut un pâtre et quelques chèvres. Non loin, enfin, la méharée rêvée. Le plus dur était fait. Restait à se poser. Ce qu'elle fit. Encore dans l'avion, Noelie regarda le groupe qu'elle s'apprêtait à rejoindre.

L'instant était venu.

Pendant l'atterrissage, les Touareg avaient fait se détourner leurs chameaux. Les montures fouettées par le sable poussaient des grognements lugubres. Les hommes étaient armés de sabres. Omar al-Mokhtar avait été surnommé le «Cheik des militants» lors de la première guerre italienne contre la présence ottomane en Libye. Organisant une farouche résistance en Cyrénaïque, al-Mokhtar était devenu un héros pour les Bédouins. D'autant que, en 1931, à soixante-treize ans, il avait marché très dignement jusqu'à la potence à laquelle les Italiens venaient de le condamner. Il était mort en martyr. Six ans plus tard, les Touareg louaient encore sa mémoire, et l'accueil qu'ils firent à Noelie dut forcément s'en ressentir. Avec un regard dur, ils observèrent sa tête blonde émerger de l'avion.

Noelie descendit du cockpit sans regarder vers eux, indifférente à leur présence. Elle sortit une première caisse, d'où dépassaient des plumes, une patte et, si l'on était attentif, un bec. Pour protéger les poules de la lumière, Noelie leur déposa dessus un vieux burnous de laine. Elle s'enroula un turban sur la tête, afin de retarder la venue d'une éventuelle migraine. Puis, enfonçant chacun de ses pas dans le sable épais, elle marcha vers les hommes.

— *Kif ennec ?*

Comment ça va ?

— *Labès !*

Ça va !

— *Ou enta, kif ennec ?*

Et toi, ça va ?

— *Labès !*

Plus on le disait, mieux c'était. C'était la coutume, la seule que Noelie connaissait. Le reste se ferait au feeling. Depuis dix ans que Noelie vivait en Libye, elle parlait évidemment l'arabe. Pas l'arabe littéraire, mais le dialecte vernaculaire d'Icha et d'autres serviteurs illettrés. Noelie n'avait jamais eu l'intention de lire le Coran mais pouvoir parler avec les marchands des échoppes, ou lors de rencontres vraies, elle trouvait ça important. C'était parfois crucial, ça l'était maintenant. Elle se lança, s'adressa à eux, entendit leur réponse et ce fut un échec.

Les hommes parlaient le tamahaq, qu'elle ne comprenait pas. Ils ne firent aucun autre effort. Peut-être auraient-ils pu s'adresser à elle en italien, ou dans un sabir proche. L'heure n'était pas venue. Même leurs yeux, qui seuls dépassaient du chèche noir, ne se voulurent pas expressifs. Restaient, pour communiquer, les gestes. Noelie en fit beaucoup, de grands. Toujours rien.

Elle retourna à l'avion, qu'elle entreprit de vider seule. Teobaldo n'étant plus là pour l'aider, Noelie commença vite à transpirer. Elle était volontaire et musclée mais, comme tout le monde, elle pouvait aussi se fatiguer. Il aurait fallu toute une chaîne de bras pour récupérer les caisses, qu'elle sortit au contraire une à une de l'avion. Elle devait sans arrêt remonter dans la carlingue, agripper une boîte, puis sauter à pieds joints dans le sable en protégeant son bien du choc. Pour y remonter encore, sitôt la dernière caisse posée. Quand ces imbéciles allaient-ils se décider à participer ?

Le langage des corps est universel, tout comme celui d'une femme qui trouve qu'on exagère. Noelie finit par se planter face à eux, son regard magnétique rivé dans celui de l'homme à qui elle avait déjà parlé. Il se demanda sûrement ce qui lui arrivait, puisque de lui partit un conciliabule qui remonta toute la méharée. Les Touareg firent ensuite s'agenouiller leurs montures. Ils s'étaient décidés à assister Noelie.

Elle ne savait pas si elle vendrait ses poules, ou si elle les donnerait. Rien n'était exclu. Noelie ferait, comme toujours, au mieux. Vu l'ambiance, elle comprit qu'il ne serait pas simple de faire des affaires. Elle était d'autant moins en position de marchander qu'il lui fallait absolument repartir à vide, ses réserves de carburant ne permettant pas une seconde halte. Tout de même, ce n'était pas la peste qu'elle apportait ! Sûre de son fait, Noelie sous-estimait sans doute la surprise de ces hommes, et leur méfiance résiduelle face à une Italienne en bombardier.

Leur campement n'était pas loin, à la lisière du champ de dunes, où il se faisait erg. Le sol était caillouteux sous les tentes, ce qui était mieux pour les arrimer. Celles-là n'étaient pas en peau de chèvre mais en toile grossière, çà et là colorées de kilims tendus sous lesquels attendaient femmes et enfants. La bourre des palmiers faisait un matelas à deux nourrissons. Les palmes, des récipients à claire-voie où entreposer ses rares effets. Amestan, toujours le même homme, peut-être était-ce le chef, dit quelque chose à une femme, qui se mit aussitôt à préparer des feuilles de thé et un feu.

Noelie gesticula pour signifier que les poules aussi étaient en train de griller. Il fallait urgemment y remédier. Cette fois, une vraie chaîne humaine se constitua pour acheminer les animaux à l'ombre. Quand ce fut terminé, Noelie libéra une poule et voulut la faire boire. La peur et les secousses de la balade avaient complètement désorienté l'animal, qui, privé de sens commun, fit mine de s'enfuir. Ce n'était pas une bonne idée.

— Tsssa… Tsssa…, fit Noelie, pour la rappeler à l'ordre.

Il en fallut plus. Les Touareg avaient de l'imagination, et des jambes. Ils finirent par remettre la main sur la petite écervelée. Le moment était venu de se faire vraiment comprendre d'Amestan. D'un geste franc, Noelie lui tendit la poule. Il la prit. Ils échangèrent aussi un regard. Noelie sortit les autres poules des caisses. Elle les déposa dans les mains ou aux pieds de chacun, et on put enfin s'asseoir pour boire le thé. Il était trop sucré mais il fallait en avaler trois tasses, comme elle le comprit. Les hommes avaient recommencé à se parler librement. La vie voulait reprendre. Les poules n'y étaient pas pour rien, courant partout, picorant les cailloux, se donnant franchement en spectacle. Une femme, qui à l'instar des autres n'avait pas la tête couverte, s'approcha de Noelie pour lui tendre un bijou en argent. Ce cadeau sonnait peut-être l'heure des adieux. C'est en tout cas ainsi que Noelie interpréta le geste, d'autant plus volontiers qu'elle avait très envie de faire pipi. Elle se leva.

Qu'y avait-il d'autre à attendre de cet échange? Chacun avait déjà reçu beaucoup. On n'allait pas se revoir, mais on s'était rencontrés. Il n'y avait pas eu la magie des berceuses échangées près du puits avec la famille touarègue. Il y avait eu d'autres choses, à quoi Noelie tenait également beaucoup, la responsabilité d'avoir cette fois *provoqué* la situation et le courage de l'avoir *vécue*.

Bruno avait décidé d'attendre sa femme à la base. Arrivé dans les bureaux avant la nuit, il avait pris dans le tableau de missions la fiche de son avion, et l'avait placée dans la colonne « Hangar/Maintenance » pour justifier son absence sur le tarmac. Personne n'irait vérifier. Histoire de faire bonne figure, il avait ensuite étalé cartes d'état-major et relevés topographiques, auxquels il se devait d'apporter une précision militaire. Son regard était sans cesse attiré vers l'horloge murale. Il surveillait l'heure et guettait avec inquiétude le retour de Noelie. Autour de lui, c'était le mouvement ordinaire d'officiers vaquant à leurs occupations, vérifiant le matériel, les munitions, ou parlant du pays. Des chefs mécaniciens, ongles noirs et regard fataliste, parlaient soupapes et mektoub en sirotant une bière chaude. La plupart n'étaient attendus nulle part. Ceux qui devaient rejoindre une fiancée indigène ou une prostituée n'étaient pas à une heure près. Bruno, si.

Noelie inspirait confiance. Elle l'insufflait aux autres. Qu'était-ce face au désert ? Un vent jaune et puissant pouvait s'y lever d'un coup et secouer l'appareil comme un fétu de paille. On n'y verrait pas à trois mètres, et l'atterrissage ne serait qu'une affaire de baraka. Au sol, c'étaient les vipères. Les scorpions. Ou des sabres à l'odeur de viande. Les détachements militaires qui bivouaquaient rencontraient parfois des poches de résistance ou des marques d'hostilité si précises qu'au retour les soldats italiens se félicitaient d'avoir été nombreux et bien armés. Noelie était seule là-bas.

Leur couple était solide, Bruno non moins. Il refusa de céder à la culpabilité qui pointait et aux remords de l'avoir laissée partir. Pouvait-il la retenir ? On n'attache pas les gens comme elle. On y tient.

L'horloge indiqua 19 heures, puis 20.

— J'ai des choses à finir, disait-il à ses camarades, qui s'étonnaient de le voir faire sa paperasse aussi tard.

Ned devait déjà dormir. Camilla était sûrement en train de tricoter. Bruno s'imagina devoir leur annoncer. Il y aurait un avant et un après cette journée-là.

C'est ce qu'exprima son regard, son visage, puis son corps tout entier, quand il vit Noelie coller son grand nez aux vitres du bureau. Elle lui tirait la langue. C'est vrai qu'à vingt-huit ans on est encore bien jeune.

Un rien vous amuse.

Le surlendemain, une enveloppe barrée du mot «Convocation militaire» attendait Bruno sur son bureau. Les pilotes l'avaient vue, les officiers savaient. Il y eut des murmures, puis un grand silence quand Bruno entra dans la salle des commandes. Il dit bonjour en souriant, comme à l'accoutumée, s'étonna sans rien dire des regards posés sur lui qui le suivirent jusqu'à sa table. C'est là qu'il vit l'enveloppe.

16

Seconde convocation au fort de Balbo, sans doute la fois de trop. Bruno envisagea le pire. Il pensa à sa femme, et à son fils qui n'avait que trois ans. Il ne le verrait pas grandir. Il ne connaîtrait jamais son visage d'homme, ni la fierté des pères. Bruno se força à sourire. L'ironie de sa condamnation était patente. Il avait risqué sa vie quasiment chaque jour. Il était militaire, pilotait un avion qui pouvait s'écraser, qui s'était écrasé. Un pilote n'a pas toujours le temps de s'éjecter, et au sol, prisonnier, qu'aurait été son destin ?

C'est finalement l'amour qui venait de le condamner. Bruno sut que, face au peloton d'exécution, c'est encore le visage de Noelie qu'il verrait. Elle lui donnerait la force, elle en aurait ensuite pour leur fils et elle-même. Bruno ne regrettait rien, mais il se demanda qui avait pu le dénoncer à l'état-major. De quoi sont faits les hommes ?

Un intendant le fit entrer dans l'impressionnant bureau d'Italo Balbo.

Après l'échange des saluts militaires, le général avait jaugé Bruno. Il était retourné vérifier la porte puis lui avait fait signe de s'asseoir. Si l'invite semblait cordiale, le regard restait glacial.

— Comme vous le savez, je fais bien mon travail, avait commencé Balbo de sa voix dure. Si vous ne le saviez pas, je vous le dis. Je fais bien mon travail.

— Certainement, mon général.

— Je n'aime pas que l'on me prenne pour un rigolo.

Bruno avait commencé à se sentir mal. Il s'était raidi, sans savoir quoi dire.

— Je n'ai pas non plus de temps à perdre avec la psychologie de mes soldats et je vous intime l'ordre de me répondre quand je vous parle.

— Oui, mon général.

— Ongaro, vous avez essayé de vous foutre de moi.

— Non !

— Très bien. Continuez.

Merci de l'encouragement.

— Il m'est impossible de me justifier, mon général. Je n'essaierai pas… Il faudrait la connaître, ce qui n'est pas simple. J'aurais dû l'arrêter. Je ne l'ai pas fait.

Italo Balbo fixait toujours Bruno. Il secoua la tête.

— Qu'est-ce qui vous prend ? De quoi me parlez-vous ?

Bruno balbutia quelques mots inaudibles, que Balbo lui fit répéter.

— Je ne suis pas à l'aise pour parler d'amour avec mes supérieurs, mon général.

Balbo finit par esquisser un sourire.

— Je vois. Oui, j'ai entendu parler du micmac de votre épouse. Très grave entorse au règlement ! Je la condamne avec la plus grande fermeté.

Bruno ne voulait pas flancher. Sa respiration devenait difficile. Il essaya de se souvenir d'un vers de Goethe.

— Je vous ai donc convoqué pour… Reprenez-vous, Ongaro. Bon sang !

— C'est fait, mon général.

Wer reitet so spät durch Nacht und Wind ? Bruno avait retrouvé le premier vers du «Roi des aulnes». Il ne pensait plus à Noelie et s'étonnait de ne pas réussir à détester Balbo. La suite de leur face-à-face lui expliqua pourquoi. Cette entrevue allait être différente de tout ce que Bruno avait imaginé, quoiqu'elle dût en effet entraîner de lourdes conséquences.

Italo Balbo ne vous convoquait jamais pour rien.

17

Noelie refit sept fois son grand manège aérien. Elle ne revit jamais de Touareg, repartis dans la région du Fezzan, où ils seraient tranquilles. Elle rencontra d'autres nomades aux mêmes traditions pastorales. La tribu des Warfalla, celle des Kadhafa, ou bien les Al-Zouaya. Elle disait son nom, ils disaient le leur. Puis c'était *kif ennec* et *labès*, interminablement.

— Mais de quoi parlez-vous ? demandait Bruno, quand elle rentrait chez eux. Tu comprends ces gens ?

Noelie souriait à son mari, en haussant les épaules.

— Parfois, comprendre ne sert à rien.

Noelie ne procédait pas en intellectuelle. Elle se contentait d'essayer d'être là, vraiment là, quelle que soit la forme que cela doive prendre. Elle accepta de frotter son bras contre celui d'un homme. Qu'on lui enterre les pieds dans le sable. Elle regarda avec eux, en silence, un coucher de soleil. Les dunes devinrent bleues et s'ourlèrent au-dessus d'une fine ligne pourpre, et le temps passait.

Elle amenait les poules, qu'elle donna toujours gratuitement, comme la première fois. C'était la moindre des choses. Ces gens avaient souffert. Ce n'était pas la faute de Noelie mais elle était soulagée de pouvoir les aider. D'un geste simple, les nomades lui prenaient des bras les poules qu'elle leur tendait. Ensuite, ils lui donnaient le thé. Ce n'était pas un échange, c'était un remerciement. Les bijoux, aussi. Avec le tapis, Noelie sut qu'elle avait franchi un cap. Le tapis, c'était une marque de respect. Elle n'en demandait pas tant mais cela lui fit plaisir. Par trois fois, les nomades la laissèrent dormir dans leur désert. L'aube la réveillait. Elle vivait les premières heures du jour dans une communauté d'humains où le thé se prépare en silence et se boit ensemble.

Il semblait à Noelie que ses hôtes étaient de moins en moins surpris par ses apparitions. Qu'on l'accueillait plus facilement, voire qu'on l'attendait. Pourtant, elle ne revit jamais deux fois les mêmes familles. Le récit des visites de la fée saharienne parcourait sûrement le désert plus vite que son avion.

Bruno ne s'habitua jamais à ces heures très longues. Il aurait voulu les partager avec Camilla, mais il la protégea. À quoi bon souffrir à plusieurs, si l'on peut souffrir seul ? Et puis, la véritable inquiétude de Bruno était ailleurs. Sans partager les vues impérialistes de l'armée, il croyait à la nécessité de servir et l'avait fait avec loyauté, jusqu'à sa rencontre avec

Balbo. Bruno y repensait sans cesse. Comment un général avait-il pu se dévoiler ainsi ? L'homme, d'une trempe rare, l'avait médusé.

— Vous êtes un bon pilote, Ongaro. Un très bon, même. Mais bien que vous nous le cachiez, je pense que vous êtes plus que ça. Vous avez une conscience. Comme j'en ai une aussi.

Italo Balbo allait prendre le risque de dire à un subalterne qu'il ne croyait pas à l'existence d'une prétendue sous-race. Il voyait d'un très mauvais œil l'amitié entre Mussolini et Hitler les conduire à rivaliser sur ce pitoyable terrain.

— J'ai pacifié la Libye. J'ai reconnu ses habitants comme citoyens à part entière. Tous ! J'ai fait construire une autoroute de plusieurs centaines de kilomètres pour que tout le monde l'emprunte, même les chameaux si ça leur chante. J'ai fait bâtir des écoles et des universités. Pour quoi ? Pour qu'on me demande de tirer dans le tas ! Partez, Ongaro. Quittez cette Libye que vous aimez ! Sous peu, je vous préviens, ce pays ne vous reconnaîtra plus.

Bruno avait dégluti avec peine.

Italo Balbo baissa la voix.

— Vous n'avez pas pu ignorer les exactions qui ont été commises dans le Sud ces dernières années. Ces épouvantables débordements, les…

Italo Balbo soupesait ses mots, ne trouvait pas les bons.

Bruno ne disait rien.

— Vous avez pris vos distances, je prends les

miennes. Les membres d'un peuple ne doivent pas tous se ressembler. Ces fascistes-là sont des fous. Vous, Ongaro, restez debout.

C'était là le vrai motif de cette convocation. Italo Balbo voulait alerter Bruno contre l'application de lois raciales qui allaient s'abattre sur le pays. Italo Balbo avait eu le courage de se faire une opinion personnelle. Il venait d'avoir celui, encore plus grand, de l'exposer. Bruno en était stupéfait.

D'autant qu'à l'instant de cette mise en garde, il avait imaginé la réaction de Noelie. Son cri. Le non catégorique. Le refus absolu d'un nouvel arrachement.

— Vous me conseillez de quitter l'armée ? murmura Bruno, très ému.

— Jamais je ne dirai une chose pareille. Rien n'est plus beau que de servir son pays. Mais pas comme ça, donc pas ici. Il vous faut rejoindre Grosseto ou Rome. Je vous nomme donc lieutenant-colonel, et je ferai de ma main une note élogieuse sur votre dossier militaire. Vous allez très vite sembler indispensable dans le Latium. Maintenant, rompez ! Je vous ai assez vu.

Bruno était assommé.

Il salua Italo Balbo en se répétant mentalement son nouveau grade.

— Dernière chose. Je me suis mal exprimé. Ce n'est pas que je vous ai assez vu. Je ne vous ai jamais vu. Est-ce clair, lieutenant-colonel Ongaro ?

C'était tout à fait clair.

On ne croise pas tous les jours de grands bonshommes.

Depuis ce rendez-vous, toutes les fois que Bruno regardait sa femme, ou bien qu'il l'attendait, ou qu'ils faisaient l'amour, Bruno se demandait quand il trouverait le courage de parler.

Lui aussi.

18

Un jour, il le put.

La soirée avait été tendre. Le petit Ned avait voulu se déguiser en Bédouine. Il s'était enroulé dans les écharpes de Camilla et s'était mis à danser. Toute la famille avait applaudi. Camilla leur avait cuisiné des oignons farcis, sa spécialité, Noelie, repris un roman qu'elle trouvait magnifique, *Le Père Goriot*, mais dont la lecture la mettait mal à l'aise. Elle avait voulu en parler avec Bruno, qui l'avait écoutée en continuant de lui masser les pieds. Ils auraient pu vivre partout cette soirée, avec le même bonheur. C'est peut-être cette intime conviction qui donna à Bruno la force de parler.

Quand il eut fini d'exposer la situation, Noelie le regarda longuement. Elle ouvrit plusieurs fois la bouche, aucun mot ne sortit. Elle changeait de phrase, peut-être d'idée, et regardait au loin, à travers les murs de leur salon.

— Si on reste, tu seras obligé de bombarder le désert… C'est ça ? demanda-t-elle enfin.

— C'est ce que craint Balbo.

Elle réfléchit encore. Tout était beaucoup plus calme que Bruno ne l'avait prédit.

Sans doute trop.

— Comment puis-je t'aider ? lui dit sa femme, d'une voix qui ne voulait pas trembler.

Tant qu'elle serait à ses côtés, Bruno n'aurait jamais besoin d'aide. D'un geste amoureux, il lui caressa le ventre. Noelie était à nouveau enceinte. Cela ne se voyait pas sous ses vêtements amples. Seuls eux deux le savaient.

— Partons avant la naissance. Je refuse que la vie de notre enfant commence par un déménagement, dit-elle sobrement.

Bruno reçut sa lettre de réaffectation à Rome moins de trois semaines plus tard.

Les journées suivantes de Noelie furent consacrées à faire ses adieux à un pays qui n'était plus seulement regardé, mais photographié mentalement. Chaque chose vue pour la dernière fois. Tout était frappé du sceau de l'éphémère et acquérait une intensité douloureuse, que le couple s'attacha à rendre magnifique. Noelie repensa souvent à son dernier vol. Elle l'avait effectué avec bonheur et légèreté, sans savoir à ce moment-là qu'il n'y en aurait plus d'autres. On annonça à Camilla et à Ned leur départ prochain. L'enfant ne comprit pas ce que signifiait quitter sa terre natale, et fut très heureux à l'idée de monter sur un gros bateau. Sa grand-mère resta muette. Elle ne voulait pas gêner. Elle ne voulut rien aggraver. Elle n'avait pas les mots pour dire le mal que ça faisait.

On s'attaqua aux malles. Noelie enveloppa avec précaution chacun des bijoux offerts par le désert. Elle les mit dans des linges roulés dans les plis de sa robe de mariée. Elle prit aussi le kilim et ses premières gandouras datant de Tripoli. Elle colla les photos de onze années libyennes dans un cahier scrupuleusement légendé. Non, pas les onze. À bien y regarder, il n'y a pas de photos du palais.

Noelie accepta qu'ils aillent enfin à Leptis Magna. En parcourant les ruines, Noelie comprit avoir longtemps eu tort. C'était comme avec le désert. Au début, on le croit vide et mort, puis on le découvre changeant et grouillant de vie. Pareil avec les pierres. Noelie les avait pensées muettes, voilà qu'elles parlaient. Il suffit souvent de s'intéresser aux choses pour qu'elles deviennent intéressantes. Cette leçon simple peut remplir une vie.

Un jour, ils embarquèrent.

L'exil n'entraîna pas seulement le chagrin. Il rendit orphelin. Je suis entrée dans l'âge d'homme ce jour-là, dira Noelie. En pleine lumière, en pleine conscience. En quittant ce pays, elle avait l'impression de l'abandonner. Elle aurait voulu le protéger, elle en partait. Un retour restait possible, un retour en arrière ne le serait jamais. Peu importe l'éloignement géographique, un départ est cruel s'il fabrique un passé. L'aube vécue dans le secret de la chambre, le hi-han quotidien de l'âne des voisins ou le goût d'une tartine à la fleur d'oranger ne sont que merveilleux souvenirs. Ce n'est pas d'eux que viendra la blessure, mais de ce qui est irrémédiablement englouti. L'oubli surtout fait mal.

Le bateau sonna en s'éloignant du quai. La palmeraie devint silhouette et les mouettes firent demi-tour. Elles n'aiment pas la pleine mer.

Le voyage du retour ne sembla pas aussi long que l'aller. Être une vraie famille aidait. La trace de l'écume bouillonnante laissée par le paquebot amusa beaucoup Ned, nettement moins les adultes. On taisait les pensées, on s'interdit les larmes. En tout cas, on se les cacha. L'Histoire est péremptoire. Noelie, Bruno et Camilla ignoraient jusqu'où elle irait. Il leur fallait partir. Eux qui pouvaient le faire le devaient.

La rambarde du paquebot était froide sous les doigts.

Noelie eut souvent la nausée, peut-être à cause de l'enfant qui vivait dans son ventre. Elle fut soulagée de pouvoir faire escale. À Tunis, il y avait encore des palmiers, on parlait arabe, et l'air sentait le jasmin.

Mais à 15 heures, un mardi, ce fut l'arrivée à Palerme, d'où il fallut ensuite rejoindre Rome.

Les Ongaro n'avaient jamais mis les pieds dans cette capitale-là.

Ce voyage avait été bien plus qu'une traversée.

19

Rome ne fit pas grande impression à Noelie. Il n'y eut pas l'épouvante de l'arrivée à Tripoli. Ni tout de suite après l'émerveillement. La grande avenue qui venait d'être percée entre Saint-Pierre et le Tibre était beaucoup moins large que certaines routes du désert. Le Colisée, pourtant ripoliné de frais, faisait pâle figure à côté des magnificences de Leptis. Noelie arrivait d'un pays d'odeurs et de chocs, ce n'étaient pas quelques citronniers ou de vieux murs ocre qui pouvaient l'émouvoir. Pourtant trois quarts déserte, la Libye fourmillait de vie, alors que le folklore romain du marché du Campo di Fiori parut vite monotone. Noelie devrait réhabituer son corps.

Il avait fallu trouver à se loger. Pour la première fois de leur vie, les Ongaro s'étaient installés dans un appartement dont les murs semblaient se rapprocher dangereusement du regard où qu'il se portât, comme si la tête tournait. Les voisins du dessous étaient très vite venus se plaindre des cavalcades de Ned. Telle une mouche prise au piège, il rebondissait contre les parois, et sautait sur place lors de colères qui semblaient ne jamais devoir s'arrêter. Pas plus Noelie que Camilla n'avaient le cœur de le gronder, sachant ce qu'il endurait.

Bruno était souvent absent. L'armée ne l'avait pas mis en garnison, ni encore mobilisé. Il consignait par écrit son expérience du désert. Cet élément brillant avait une expérience à partager, dont on devinait pouvoir tirer de précieux enseignements pour la suite.

La dictature imprégnait profondément les mentalités. La vie quotidienne était évaluée et soupesée, jusque dans l'assiette. Camilla avait toujours fait une cuisine de pauvre, elle continua de régaler. Ned passait ses journées avec les Fils de la Louve, où il apprenait à marcher en cadence et à manier des armes factices. À cinq ans, les vraies auraient été trop lourdes. Quand le garçonnet rentrait à la maison, il chantait à tue-tête des hymnes à la gloire du régime. Cette fois, tant mieux si les voisins entendaient, qui se mirent en effet à dire bonjour dans l'escalier, main levée, paume vers le sol, comme il fallait. Une petite Barbara était née. Ned, férocement jaloux du bébé, l'appelait *Barbara-tout-court*, rappelant qu'il était né Ned-Mohammed. Ce sentiment de rivalité, inconnu dans la famille, était souffrance et on le respecta.

Passé l'émotion de la naissance, Bruno eut ce mot hardi à l'attention de sa femme :

— Tu es comme une poule. Chaque fois que tu te sens bien quelque part, tu ponds.

Il n'avait pas imaginé remporter un franc succès avec sa comparaison animalière, mais ne s'attendait pas non plus aux torrents de larmes qui suivirent.

— C'est la fatigue, excusa Camilla, comme on invoquerait aujourd'hui le baby-blues.

Il y avait une raison autre qu'hormonale au vague à l'âme qui planait. Tous avaient le mal d'un pays qui n'était pas le leur. À l'aurore, Noelie allait piazza di Spagna, au pied du grand escalier qui mène à Trinità dei Monti. Ce n'était pas pour en admirer le plan ou l'église, mais pour respirer à pleins poumons le crottin des chevaux amoncelé pendant la nuit. Odeurs d'avant. Au lever du jour, les touristes n'avaient pas encore pris les calèches d'assaut, et Noelie se tenait droite au milieu des croupes, narines contre naseaux, les larmes au bord des yeux qu'elle finissait par fermer.

Quand ce fut vraiment la guerre, il y eut moins à réfléchir. Rome finit par se transformer en plaie ouverte, un vaste champ de ruines, fraîches celles-là. Noelie ne s'intéressait pas beaucoup aux pierres. Depuis toujours, elle préférait les dates. Pendant la guerre, il y en eut deux.

Le 28 juin 1940, alors qu'il survolait Tobrouk, Italo Balbo fut tué. Le lendemain, les forces britanniques parachutèrent sur un camp italien un billet de condoléances qui rendait hommage au « Grand Condottiere que le destin avait mis dans le camp adverse ». On ne sut jamais pourquoi son avion s'était abîmé. Par mégarde, un tir de canon antiaérien italien ? Peut-être un tir ennemi ? Ou un assassinat intentionnel, commandité par Mussolini… Bruno eut sa petite idée, qui n'enleva rien à sa peine.

Puis il y eut le 3 septembre 1943. Ce jour-là, l'armistice fut signé par Victor-Emmanuel III. Il avait déjà fait arrêter Mussolini. Le roi avait dû subir vingt années de fascisme, qui l'avaient cantonné à un rôle d'apparat. Sans aucun pouvoir, il n'avait pu empêcher le rapprochement avec Hitler. C'est à ce roi que Bruno avait juré fidélité. C'est lui que l'aviateur avait continué de servir. Quand Victor-Emmanuel III abdiqua en faveur de son fils et se retira de la vie politique, Bruno lui aussi quitta l'exercice. À trente-trois ans seulement, cet officier brillant venait pourtant d'être cité pour passer colonel. Ces avancements vertigineux, c'était le bon côté de la guerre. Bruno en avait retenu le mauvais. À la surprise de tous, il refusa le prestigieux grade auquel on le proposait, et demanda sa mise en disponibilité de l'armée. Qu'il obtint après plusieurs auditions, lors desquelles les généraux se montrèrent incrédules et lui, convaincant.

— Nous sommes en guerre, Ongaro !

— Justement.

Un colonel pacifiste ? On le laissa partir.

Restaient à envisager les modalités de son reclassement dans le civil. Bruno n'avait jamais eu à se vendre. Il ne savait pas remplir les papiers de la vie courante, ni le plus souvent ses conditions. Il était très intelligent, mais pas rusé, et s'il savait obéir, ce ne pouvait être à un quelconque chefaillon de quartier. Dans la délicate recherche de sa place, Noelie lui fut d'un indéfectible soutien. Elle avait toujours cherché à identifier ses propres désirs, et avait acquis un sentiment de légitimité qui ne devait plus rien à personne. Bruno essaya de l'imiter.

En 1946, tout était à reconstruire, les hommes comme les immeubles. La profonde déstructuration du pays, après les années fascistes, était aggravée par les sanctions de guerre qui s'imposèrent au vaincu. La France et l'Angleterre avaient trouvé un facile terrain d'entente sur le dos de leur ancienne rivale coloniale, lestement dépouillée de son empire méditerranéen. En plus de ces vexations territoriales, toutes sortes de brimades économiques d'une grande sévérité mirent l'Italie au bord de la famine, et beaucoup d'hommes au chômage. Bruno y était déjà depuis trois ans.

Noelie eut l'idée de commencer un commerce avec les provinces du Sud, où des pénuries raidissaient le quotidien. Elle se faisait fort d'y remédier avec son propre plan Marshall, tout mignon et très rentable. Noelie s'improvisa grossiste pour expédier des produits manufacturés ou industriels que, même à Rome, on ne trouvait qu'à grand-peine. Les années libyennes l'avaient rendue débrouillarde. Elle ne s'arrêtait pas à la première difficulté. Si on lui disait *non c'è*, il n'y en a pas, elle cherchait mieux, ailleurs, et finissait par trouver, ça ou autre chose qui ferait tout aussi bien l'affaire. Son commerce alla florissant.

Bruno aussi entreprit. Il avait toujours aimé les arts, l'histoire, et surtout l'opéra. Il n'avait jamais eu l'occasion de se frotter à la peinture. N'était-ce pas l'occasion ? Bruno décida d'ouvrir une galerie. Tous les jeunes peintres clamaient tourner le dos à l'école futuriste et au néoclassicisme prônés par le régime des faisceaux. Toutefois, devant les chevalets, cette même jeunesse restait muette. Il n'est pas si naturel de passer d'un sentiment de liberté à son exercice. C'était en découvreur de talents que Bruno s'était rêvé, et les visites d'ateliers finirent par l'attrister. Des livres d'art s'empilaient jusqu'au plafond, des tracts politiques jonchaient les tables basses, les cendriers débordaient, les pinceaux restaient secs. Le talent manquait. Le galeriste eut quelques coups de cœur pour des personnalités attachantes, rarement de l'emballement pour une œuvre. Il invita tout de même les artistes en puissance à dîner. Les oignons farcis de Càmilla eurent un grand succès, ceux qui les engloutissaient en nombre beaucoup moins.

— On n'a peut-être pas les moyens de faire du mécénat…, osa Noelie un soir, quand elle et son mari se retrouvèrent tranquillement à lire dans le salon.

La galerie ferma, avec d'autant moins de fracas que rares étaient ceux qui l'avaient sue ouverte. Bruno fit preuve de ressource et prit tout le monde de court en décidant d'ouvrir une boutique de farces et attrapes. Il mit à la location d'authentiques costumes libyens, et fabriqua de malencontreuses moustaches brunes, des boules vraiment puantes et de dangereux cigares explosifs. Qui aurait accepté de dépenser son argent pour tourner en dérision ce que l'Histoire venait de faire payer si cher ? La boutique ferma vite, heureusement sans avoir jamais eu de clients. Bruno eut la sagesse de ne pas donner vie à ses autres idées. Un sourcil levé de Noelie lui suffisait pour renoncer. C'est donc avec soulagement, et d'une voix à nouveau ferme, qu'il annonça un soir à table :

— On vient de me proposer de donner trois conférences. J'ai accepté. C'est à Budapest. Nous partons le mois prochain.

Bruno se demandait pourquoi les Hongrois s'étaient adressés à lui. Cela paraissait étrange. Mais, de la part de sa famille, le projet ne souleva aucune objection. Il n'en aurait d'ailleurs toléré aucune.

— Un peu de respect tout de même, fulminait Bruno.

20

En 1949, le drapeau de la république populaire de Hongrie utilisait les mêmes couleurs que celui de l'Italie, couchées dans l'autre sens, avec, autre détail d'importance, une faucille et un marteau en son centre.

Ces couleurs n'étaient pas le seul point commun entre les deux pays. En Hongrie aussi, la question des terres irrédentes avait été brûlante. Loin des attentes, le traité de Trianon avait enlevé au pays les deux tiers de son territoire et l'avait surtout privé de son accès à la mer, via la redéfinition des frontières de la Croatie. Un « Hongrois » sur trois vivait désormais en dehors des nouvelles frontières du pays. Le *droit d'un peuple à disposer de lui-même* du président américain Wilson s'appliquait là à un vaincu de la Première Guerre mondiale, et naturellement le droit privilégiait les vainqueurs.

Mue par une tenace volonté de revanche, peut-être de justice, la Hongrie s'était rapprochée de l'Allemagne nazie et, comme l'Italie, avait été capable lors de la Seconde Guerre mondiale de périlleux retournements politiques. Le pays fut à nouveau puni. Entre l'Italie et la Hongrie, il avait donc pu y avoir les affinités amères de cobelligérants déboutés, et le parallèle s'arrête là.

Car c'étaient les Russes de l'Armée rouge qui avaient «libéré» la Hongrie. Ils y étaient ensuite restés, trouvant sur le terrain une entente possible avec les communistes locaux. Si leur victoire aux élections de 1949 fut écrasante, on peut aussi la trouver relative. Tous les citoyens avaient été obligés de se rendre aux urnes. On menaçait de déporter dans les camps de Sibérie ceux qui rechigneraient. Cerise sur le gâteau, il n'y avait eu qu'un seul parti pour lequel voter.

Tout alla donc bien.

L'armée hongroise venait pourtant de demander ses lumières à Bruno Ongaro. Pour des raisons déjà obscures à l'époque, restées mystérieuses depuis, c'est lui qu'on était venu chercher. On ne sait pas si avant Bruno d'autres avaient refusé l'offre, on sait pourquoi lui accepta. Pour fuir les farces et attrapes. Ça paraît peu de chose, ça paraît même ridicule. Où était passée cette conscience dont Italo Balbo l'avait un jour doté ? Bruno n'eut pas conscience de s'engager, ni d'avoir choisi un camp. Encore moins le mauvais. Il lui semblait seulement qu'il allait pouvoir reparler de Sun Tzu, de Machiavel et de mécanique à des gens que cela intéressait. La perspective était séduisante. Bruno n'en avait pas d'autres.

Repartir n'était pas pour lui déplaire, même s'il aurait préféré que cela ne fût pas derrière le rideau de fer. Si on était sans nouvelles de la vie qui s'y déroulait, personne n'aurait eu l'idée de l'imaginer toute rose. Par précaution, Noelie et Bruno décidèrent qu'ils partiraient seuls. Ned et Barbara resteraient à Rome avec Camilla. Ned avait seize ans et une mobylette. Il vit immédiatement l'intérêt qu'il y aurait à vivre avec une grand-mère qui ne savait rien lui refuser. Barbara avait douze ans, et pas de mobylette. Elle en négocia une, qu'elle recevrait au retour de ses parents s'il leur était rapporté qu'elle avait été sage. Promesses et mobylette extorquées, longue liste de recommandations faite à Camilla, Noelie et Bruno firent à nouveau leur malle. Ils allèrent à l'ambassade de Hongrie récupérer leurs visas. Ils n'étaient valables que trois mois, à renouveler. Le cas échéant, Camilla et les enfants viendraient bien sûr les rejoindre.

À leur arrivée à Budapest, Bruno et Noelie furent émerveillés. La vieille ville saccagée à la « libération » venait d'être reconstruite pierre par pierre. Tout plut aux Ongaro. La Dohány utcai zsinagóga, située dans le quartier Erzsébetváros. Le Vajdahunyad, l'Uránia Nemzeti Filmszínház, le fameux Mátyás Pince ou le Vígszínház…

Le problème donc, c'était la langue. Un problème de taille. Il était impossible d'y comprendre quoi que ce soit. Au son, c'était joli. À l'usage, diabolique. Noelie essaya d'apprendre à dire *A közeli viszontlátásra* ou, au moins, *Merci beaucoup*. Elle renonça.

— Le hongrois est issu de la branche finno-ougrienne des langues ouraliennes, lui dit Bruno avec humour.

Voilà la raison de ce sortilège, sans solution en vue. Noelie ne sentait plus en elle le feu sacré qui lui avait permis d'apprendre l'arabe sans même s'en rendre compte. Ce n'est pas qu'elle avait perdu son énergie ou ses moyens. Elle faisait du vélo tous les jours. Descendait la colline de Pest. Remontait celle de Buda, parfois inversement. Elle visitait les monuments et les musées. Lisait. Écrivait à ses enfants et à sa mère. Apparemment, tout allait bien. Pourtant il y avait un écueil. Noelie ne se faisait pas aux couleurs de la ville. Quelque chose sonnait faux dans les vitrines vides des magasins, dans les vêtements gris des habitants, dans ce voile communiste qui recouvrait dômes et coupoles, plaisanteries et joie de vivre, comme un linceul. Un matin ordinaire, un passant confondit Noelie, sobrement habillée de noir, avec une Hongroise. Pareille méprise n'aurait jamais pu se produire en Libye. Le Hongrois parla son idiome. Demandait-il son chemin ou bien voulait-il l'heure ? Noelie lui répondit en arabe, tout sourire disparu.

Bruno attendait toujours qu'on lui fasse signe. Les trois hommes qui les avaient guettés à l'aéroport et amenés dans un logement tristounet avaient promis de revenir. Cela faisait dix-sept jours. Bruno commençait à trouver le temps long, d'autant qu'il se sentait fin prêt. Pour sa première conférence, il avait décidé de faire preuve d'originalité et voulait proposer de réfléchir à la stratégie de la guerre par une voie personnelle. Au prix d'expériences douloureusement traversées, il pensait avoir acquis une certaine hauteur de vues. Elles n'étaient pas politiques et n'étaient plus seulement militaires. Elles étaient devenues humanistes. Dans son champ de compétences, il se croyait de taille à débattre de la seule et unique question militaire qui vaille, celle en quoi se fondaient toutes les autres.

La fin justifie-t-elle les moyens ?

Il ne s'agissait pas d'apporter une réponse partisane, ni de répondre tout court, mais de déployer la question à l'infini d'elle-même. Pour sa seconde conférence, Bruno avait décidé de proposer une maxime de son fonds personnel, inspirée par Noelie sans qu'elle le sache.

Il faut bien connaître son ennemi avant de l'attaquer. Sa psychologie. Son identité. En fait, il faut toujours vérifier que le pire ennemi, on ne le porte pas en soi.

Pour la suite, les idées ne manquaient pas. Il fallait juste qu'on lui fixe une date et un lieu de rendez-vous. Ces gens faisaient décidément beaucoup de mystères.

S'il y avait eu un mur autour de Budapest, Noelie serait allée devant, et l'aurait regardé jusqu'à ce qu'il s'écroule. Ce n'était pas encore Berlin, c'était plus insidieux. Si les parpaings étaient invisibles, Noelie savait les barreaux bien réels. Ne supportant pas la prison, elle s'inventa un avion, et décolla dans sa tête. Elle survolait les Carpates, créait les mers intérieures qui manquaient au paysage, et traquait ours et bisons sauvages. Bientôt, son domaine s'étendit sur toute la Transylvanie, jusqu'au royaume de Valachie, où elle aida le comte Dracula à résister aux envahisseurs ottomans. Noelie se réveillait en hurlant, la chemise de nuit trempée de sueur. Ce pays de carcan sans paroles la rendait folle, disait-elle à Bruno.

On vint enfin le chercher. Deux hommes en imperméable gris, qui ne parlaient que le hongrois, et peut-être même pas. Ils n'ouvrirent pas la bouche. Bruno fut amené dans un bâtiment récent, à l'ambiance très froide. On dirait plus tard *soviétique*. Les chaises étaient disposées comme dans une salle de classe, toutes d'un côté, une seule leur faisant face. Cela pouvait aussi faire penser à un tribunal, nota Bruno.

Des Hongrois entrèrent sans le saluer et s'assirent. Lui hésitait encore. Était-ce seulement sa conférence qui se préparait ? Pour en être certain, il faudrait attendre l'interprète. En tout cas, qu'on lui parle. Personne ne portait de distinction militaire, ni même d'uniforme. Un homme fit enfin signe à Bruno de prendre place sur la chaise isolée. À partir de cet instant, la nature du silence qui régnait dans la pièce changea.

L'homme s'adressa à Bruno. Un autre traduisit.

— Vous n'êtes pas communiste.

— C'est une question ? s'étonna Bruno.

Ce n'était pas une question.

— Vous n'êtes pas communiste. Que faites-vous ici ?

Bruno fronça les sourcils et interrogea l'interprète du regard. L'interprète ne comprenant que les mots, Bruno dut faire une phrase.

— Il m'a vraiment demandé ce que je faisais là ? C'est lui qui me demande ça ? À moi ?

— Oui.

Alors là.

— C'est vous qui m'avez fait venir !

— Non. Ce n'est pas moi.

L'homme fouilla dans un épais dossier posé devant lui pour vérifier que ce n'était pas lui.

— Allez-vous devenir communiste ?

Au tout début, la mise en scène avait fait sourire Bruno. Il n'était pas inintéressant de voir derrière le rideau de fer l'action en train de se tramer. Mais si ce dialogue kafkaïen durait, ça pouvait finir par lasser. Une fois le principe compris, on gagnerait à passer à autre chose. Bruno se retint néanmoins de brusquer la conclusion, même si c'est vers cela qu'il aurait aimé tendre.

— Ce n'est pas prévu, répondit Bruno.

L'homme garda son regard rivé sur lui une trentaine de secondes. Il remit ses papiers en ordre, les prit en main, puis il se leva et sortit de la salle, suivi de tous les autres. Bruno resta interloqué.

Ils étaient forts, tout de même.

Fous à lier, soit.

Mais forts.

Fallait-il rire, pleurer ou s'inquiéter? Quand il retrouva sa femme, Bruno avait tranché.

— C'était intéressant? demanda Noelie.

Bruno n'eut pas le courage d'affronter, au sortir d'un rendez-vous qui aurait dû justifier leur voyage, la certitude de son échec. Lui aussi commençait à rêver du moment où il tiendrait entre ses mains leurs billets de retour.

— Noelie, comment veux-tu que je m'autorise à dévoiler le secret-défense d'un pays étranger? Ce serait indigne de la confiance qu'ils ont placée en moi, indigne du militaire qu'au fond je suis toujours. Ne me demande plus rien, chérie. Il en va de mon honneur.

Grâce au silence que venait de lui opposer son mari, les yeux de Noelie s'étaient remis à briller. Bruno fut heureux de lui revoir ce regard. Dieu qu'il aimait cette femme. Il fut convoqué une seconde fois, qui se révéla aussi édifiante que la première. On n'en était plus à un ridicule près. L'essentiel était ailleurs maintenant. Il ne fallait pas que cette situation s'éternise. Trop loin de la philosophie de départ.

— Je me demande pourquoi nous sommes venus… Comment ai-je pu accepter une entourloupe pareille? marmonna Bruno, un soir.

— Je peux te poser une question? demanda Noelie.

Ces précautions et cette prudence ne lui ressemblaient pas du tout. Méfiance. Qu'avait-elle en tête?

— Est-ce que tu es un espion? Cela expliquerait ce que l'on fait ici. Pourquoi ils t'ont appelé. Pourquoi tu as dit oui. C'est excitant, ces métiers-là. Ta boutique de farces et attrapes n'était qu'une couverture, n'est-ce pas ?

Elle prit un petit temps.

— Si on y pense, tout se tient !

Elle éclata de rire, ravie de sa blague. Si cela n'avait pas été une blague, elle était juste heureuse de rire, d'ailleurs heureuse tout court ce soir, car Bruno et elle venaient de se parler vraiment. Depuis que ce pays les avait rendus tristes, ils ne s'étaient plus rien dit d'important. Quelques jours plus tard, Bruno reçut enfin l'autorisation de quitter le territoire. Sans surprise, les visas hongrois ne furent pas prolongés. Bruno et Noelie n'étaient restés que six semaines à Budapest.

Ça leur avait paru plus long.

21

En 1952, Noelie et Bruno fêtèrent leurs vingt ans de mariage.

En 1953, les vingt ans de Ned.

Pour chacune de ces grandes occasions, ils firent une belle fête. Les Ongaro habitaient un spacieux appartement dans un quartier résidentiel de Rome. Le miracle économique italien était passé par là, et ne devait plus s'arrêter avant longtemps. Noelie faisait toujours de l'import-export dans différentes régions italiennes. Devinait les besoins de ses compatriotes, ou les leur inventait, avant de s'évertuer à y remédier avec une très confortable marge.

La maison se remplissait souvent d'amis, de connaissances et de voisins. On n'avait pas besoin de se connaître beaucoup pour avoir plaisir à être ensemble. Audrey Hepburn allait recevoir un oscar pour ses *Vacances romaines*. Les femmes rêvaient de lui ressembler, sauf Noelie qui continuait de porter pantalon et manteau noir fermés par une simple épingle de nourrice, nettement plus Yamamoto dans l'esprit qu'Hubert de Givenchy. Elle adopta l'habitude de se déplacer librement en Vespa, une nouvelle mobylette qui permettait aux dames de ne pas salir leur jupe. Bruno aussi s'y était mis. Lui, en connaisseur. Il avait reconnu dans le système de roues, fixées latéralement, l'héritage aéronautique, et donc sentimental, d'un train d'atterrissage. C'étaient alors de grandes balades en famille, chacun sur son engin, vers l'une ou l'autre des sept collines de la Ville éternelle, pour des pique-niques insouciants souvent égayés par les amis des enfants. On y mangeait froids les délicieux oignons farcis de Camilla, son plat devenu signature. À la télévision qui venait de faire son entrée dans les foyers italiens, on préférait encore ces balades au grand air. Fini le cruel néoréalisme de l'après-guerre, Fellini voguait en douceur vers le rêve et l'amour.

C'était la *dolce vita*.

Il y avait pourtant des luttes. Si les noces de porcelaine de Noelie et Bruno avaient vogué sans encombre, les vingt premières années de la vie de Ned n'étaient pas allées aussi paisiblement. Le petit roi était devenu dictateur, ou avait essayé. Il avait le charme de sa mère, sa haute taille, et avait hérité des épaules musclées de son père, ainsi que de son beau visage. Irrésistible. Ned le savait et ne faisait qu'en jouer. S'il avait un physique, il manquait singulièrement de carrure. Il était jeune, c'est vrai.

À l'école, ça n'avait pas marché fort. Non par

manque d'intelligence, mais par la faute d'un esprit que ses professeurs disaient «rétif à l'autorité». Ned n'avait jamais pris l'habitude d'obéir. Certes, son enfance avait été encadrée par la Jeunesse italienne du licteur, mais elle se révéla nettement moins marquée par la discipline fasciste qui y avait régné que par le vide qu'elle laissa. Vide qui durait, et que le jeune homme s'évertuait à remplir, à sa manière. Ce n'était pas la bonne pour une société romaine fortement marquée par la bienséance, un strict ordre moral et même la censure, venus en proches voisins du puissant Vatican. Ce furent d'abord de simples remarques désobligeantes, ensuite de sévères remontrances. Puis Ned se fit tout bonnement renvoyer de toutes les écoles privées. Fin du cursus scolaire, mais pas fin des ennuis.

Depuis l'âge de quatre ans, c'était un nageur émérite. Il avait reçu de sa mère le goût de l'eau, du sentiment de liberté qu'elle donne, et du monde qui s'y cache. C'est Noelie qui l'avait initié à la brasse et au crawl. C'est avec elle qu'il avait fait ses premières plongées bouteille, déployant enfin son endurance, un grand souffle et des capacités physiques hors normes. C'était une passion. Cela aurait pu devenir un métier. Le jeune homme en fit un terrain d'expériences qui faillirent mal tourner.

Le week-end, la famille Ongaro partait se détendre dans une agréable maison louée à Porto Santo Stefano, très chic station balnéaire de l'Argentario. Les familles les plus en vue de Rome avaient élu ce joli port toscan comme villégiature privilégiée. On s'y retrouvait entre soi, et chacun savait pertinemment qui était qui. Tout en haut de la pyramide de Porto Santo Stefano trônaient les familles de l'aristocratie et de la noblesse. Pas celle des âmes, celle des titres. Convaincues de leur grandeur, ces familles imposaient aux autres leur supériorité d'autant plus aisément qu'on se comportait avec elles en vassal. Il ne serait venu l'idée à personne de sourire en écoutant un biscornu prince lombard parler de son aïeul de la Renaissance, comme s'ils avaient dîné ensemble la veille. Leur prestige n'était pas seulement intact, il restait vivant. Venait ensuite la haute bourgeoisie, surtout si elle avait des accointances vaticanes jugées très prestigieuses. Tout en bas de la pyramide tacite de ces week-ends de bord de mer étaient des familles heureusement peu nombreuses, sans particule ni, horreur, sans blason, et qui, encore pire, avaient un métier. Là, on touchait le fond. C'en devenait gênant.

Ce fut d'abord par embarras, puis par respect, et de façon inattendue un beau jour par amitié, qu'on ne demanda jamais leurs origines aux Ongaro. On faisait en leur présence semblant de rien. Il fallait jouir d'une belle prospérité pour louer villa et bateau à Porto Santo Stefano, cela faisait tout de même une rassurante sélection. En public, Noelie et Bruno se conformaient à tout cela. En privé, ils s'en amusaient. Le reste de la semaine, en effet, eux travaillaient. Surtout Noelie.

Bruno, qui se liait facilement, était devenu ami avec

un certain Michele[1], fils de pâtissier. Noelie aimait tout faire fructifier, les fleurs comme les projets. Le jeune homme fut encouragé à améliorer sa recette d'une pâte au chocolat pour le goûter des enfants. Des agriculteurs ligures, cultivateurs de noisetiers à Imperia, lui furent présentés. Noelie incita fortement Bruno à s'associer à l'entreprise naissante, lui expliquant les arcanes du transport de marchandises, qu'elle connaissait bien, ceux du stockage, qu'elle connaissait moins, essayant surtout de le convaincre du grand potentiel commercial. Bruno obéit. Il visita plusieurs fois l'usine de chocolat, qui sentait bon. En dépit de quoi, il se désintéressa assez vite de la petite affaire, volontiers abandonnée à son ami.

Bruno préférait à la télévision le jeu *Quitte ou double*, s'intéresser aux ébauches conceptuelles de la Super-Caravelle préfigurant le supersonique français Concorde, ou écouter de houleuses émissions radiophoniques consacrées aux problèmes de la décolonisation de l'Afrique. Ça le regarde. Noelie eut tout de même un pincement au cœur le matin où elle découvrit un pot de crème au chocolat dans le magasin où elle faisait ses courses. Elle se mit carrément en rogne quand le chocolat rebaptisé Nutella, de l'anglais *nut* qui veut dire *noisette*, envahit le monde entier. L'empire de Michele Ferrero était fondé.

Jusque-là, Noelie avait toujours cherché à associer son mari à ses activités. L'aventure du Nutella,

---

1. Prononcer *Mikélé*.

énième dans la liste mais première en importance vu les conséquences, lui fut un déclic. Bruno était une catastrophe en affaires. Il faudrait l'en garder. Cela ne changea rien aux sentiments qu'ils se portaient toujours.

Noelie aurait bientôt cinquante ans.

22

Dans l'immédiat après-guerre, les partis politiques italiens issus des rangs de la Résistance (à la guerre, aux nazis ou au fascisme) eurent le vent en poupe. Non moins éphémères comme force politique de premier plan, les communistes. Puis, dès 1948, la Démocratie chrétienne, couramment appelée DC[1], s'installa au pouvoir.

Ce parti possédait de nombreux atouts. Il était généreusement financé par les milieux bancaires et industriels pour faire rempart aux Rouges. Le Vatican ne pouvait que soutenir une démocratie dite chrétienne. Enfin, comme ce parti était centriste dans l'acception le plus large du mot, il pouvait à sa guise tirer un bord une fois sur sa gauche, une autre sur sa droite, selon les évolutions de la société et les résultats d'élections rendant parfois nécessaires des coalitions. Le tout, sans jamais chavirer.

---

1. Prononcer *Ditchi.*

La DC avait été fondée pendant la Seconde Guerre mondiale par trois hommes providentiels, Alcide De Gasperi, Antonio Segni et un certain Giovanni Gronchi[1]. Ils allaient se partager longuement le pouvoir, alternant avec bonheur aux postes clés du pays. Lors des années les plus fastes du miracle italien, Giovanni Gronchi venait par exemple d'être élu président de la République.

Bruno et Noelie se retrouvaient parfaitement dans les lignes élastiques de ce parti, qui un jour glorifiait le libéralisme économique, un autre le respect des petites gens. Pour les Ongaro, c'était parfait, ça collait pile poil. Noelie travaillait toujours beaucoup. Elle avait réussi à neutraliser Bruno, qui ne travaillait plus. Cela la rassurait. Son fils, en revanche, l'inquiétait. Lui non plus ne faisait rien, ou pas grand-chose. Dernièrement, il s'était mis en tête de dresser des chats.

— Pour quoi faire ? Tu ne vas pas ouvrir un cirque de chats ! se désolait sa mère.

Pourtant, elle ne résistait pas à faire des caresses aux chatons, et les regardait refuser de marcher, en tout cas pas sur demande, ni surtout en cadence. De vrais chats. Les week-ends à Porto Santo Stefano, Ned partait nager. Il rêvait de galions, d'abysses et de trésors sous-marins. Ses baignades avaient un but, elles n'avaient jamais de fin. C'était trop, même pour sa mère. Et puis Ned était cavaleur. Avec son beau visage bronzé, son sourire éclatant et ses propos rêveurs, il

---

1. Prononcer *Gronki*.

n'avait aucun mal à ensorceler des sirènes. Noelie ne savait jamais laquelle était en cours de reddition, ni combien elles étaient au juste, mais les larmes de ces jeunes filles ne facilitaient pas les rapports cordiaux entre familles. Noelie et Bruno furent même mis en quarantaine tout un été. On ne les invita plus nulle part.

— Elle, c'est *une brave femme*. C'est le fils qui est impossible !

— Vous saviez qu'ils n'étaient que commerçants…

Parmi ces joyeusetés, une famille se distinguait, par sa classe et par son élégance. Les Benedetti avaient trois filles ravissantes. Quand un après-midi Ned pêcha une amphore en eaux profondes, et faillit se noyer en essayant de la ramener sur la plage, on accepta sans réfléchir que la cadette lui fasse du bouche-à-bouche. Ned était inconscient. C'était peut-être une urgence vitale, et personne n'avait d'autre idée. Il fallait donc réagir. C'est précisément ce qu'était en train de faire Annamaria. Le problème, Noelie comprit aussitôt qu'il était de taille, était que la jeune fille avait un très joli corps.

Quand Ned rouvrit les yeux, avant même de recracher l'eau absorbée et sans lâcher son amphore, c'est une sirène qu'il vit. Noelie imagina les pleurs, les dos qui se tourneraient encore, et les agréables conversations avec les Benedetti devenues impensables. Heureusement, Noelie avait une amie à qui confier ses inquiétudes. Cette amie était sa voisine de palier. Carla était une femme intelligente et élégante, avec qui parler était délicieux. Elle jouait au bridge, s'entendait très bien avec la discrète Camilla et adorait danser. Noelie aimait beaucoup sa compagnie. Elle lui racontait les frasques de Ned et lui demandait des conseils pour faire entendre raison au jeune homme. Noelie parlait d'autant plus librement que Carla aussi avait besoin de se confier. Elles s'étaient trouvées.

Ce qui tourmentait Carla, c'étaient ses soupçons sur les possibles infidélités de son mari. Elle était de plus de vingt ans sa cadette mais lui, c'était un homme. Si Carla n'avait pas de preuve, son instinct féminin lui disait qu'il la trompait, et elle souffrait. Noelie, néophyte en la matière, associa l'avertie Camilla aux conversations.

— Lorsque vous n'êtes que tous les deux, il reste gentil ? demandait Camilla.

— Il est tendre, prévenant. Oui, il est gentil, admettait Carla.

— Quand vous êtes encore plus tous les deux, il est... ?

Là, on rougissait.

— Vous faites bien l'amour ? traduisait Noelie.

— Il est très passionné...

Camilla, presque soixante-dix ans, finissait par ne plus savoir pourquoi on l'avait fait venir, ni où était le problème. Certes, il lui était arrivé, ainsi qu'à Noelie, de croiser sur le palier le mari de Carla alors qu'il s'apprêtait à entrer dans son appartement en compagnie d'une femme, tandis que la sienne passait quelques jours à la campagne avec les enfants. Ce n'était pas si grave. C'étaient des choses qui arrivaient, à l'époque. On n'en disait toutefois rien à Carla, qui n'avait pas non plus besoin de tout savoir, et on lui remontait le moral en l'aidant à voir le bon côté des choses puisqu'il y en avait un. Son mari était gentil et il s'appelait Giovanni Gronchi.

C'était le président de la République.

23

Giovanni Gronchi n'était pas bête. Il comprit très vite que les conversations de sa femme avec Noelie la calmaient, et lui faisaient du bien. À lui aussi donc, indirectement. De plus, *Il Presidente* vérifia à plusieurs reprises pouvoir compter sur l'absolue discrétion de ses voisins de palier. Précieux, ça. Au palais présidentiel, le Quirinal, ou lors des déplacements officiels, les choses étaient rendues nettement plus délicates par les ministres qui se gaussaient facilement. Non qu'ils se comportassent eux-mêmes toujours en enfants de chœur. Giovanni le fit d'ailleurs remarquer à un collaborateur, surpris en fâcheuse posture.

— Mais moi je ne suis pas président de la République, monsieur le Président.

Allez parler avec ces gens-là.

Ce n'était pas la seule raison de l'amitié née entre les deux couples. Giovanni appréciait ses discussions avec Bruno. Cet homme n'avait jamais été fasciste, ni même royaliste. Il avait été fidèle à son pays, l'avait dûment servi, puis il avait pris ses responsabilités. Un parcours sans fautes. D'un calme impressionnant, Bruno avait une hauteur de vues presque orientale, qui lui faisait tenir des propos très mesurés, quoique éminemment pertinents.

L'Italie ayant été dépouillée pendant la guerre de ses possessions coloniales, elle était dispensée des douloureuses questions de la décolonisation. Ce n'était pas rien. Il n'y avait qu'à regarder les contorsions du général de Gaulle pour s'en convaincre. Idris Ier, accueilli en triomphateur en 1945 à Benghazi, avait été fait émir par les Anglais. Il venait de devenir roi des Libyens. C'était d'autant plus beau que ça restait leurs petites affaires souveraines. Le président Gronchi recommença à s'y intéresser de près quand en 1955 des gisements de pétrole furent découverts autour de Benghazi. Si la manne semblait modeste, mieux valait se méfier. Il fallait donc songer à normaliser les rapports avec Idris Ier. Or Bruno et Noelie connaissaient bien ce pays. Ils lui vouaient même une tendresse particulière. À réfléchir.

La guerre froide battait son plein. Les deux blocs patiemment constitués s'affrontaient, crise du canal de Suez, insurrection de Budapest, avec en toile de fond la menace des nouvelles armes nucléaires. L'Italie étant très loin d'être une puissance militaire, on ne lui demandait pas son avis. C'était sans doute un peu sa faute, car elle ne comprenait pas grand-chose aux tensions internationales, ni aux coups de bluff venimeux. Seul Bruno, très intéressé par ces questions, semblait les dominer de toute sa clairvoyance. Décidément, on y revenait toujours. Les parties de bridge commencèrent à être l'occasion de discussions diplomatiques, subies les yeux au ciel par les femmes.

— Oh ! Vous nous empoisonnez avec tous vos problèmes ! Président, pardonnez-moi, ne pourrions-nous pas simplement jouer aux cartes ?

Noelie le regardait d'un air qu'il trouva étrange.

— Allez au Quirinal, messieurs, si vous devez travailler…, ajoutait-elle.

Après l'élection présidentielle, ni Giovanni Gronchi ni Carla n'avaient eu envie de s'installer dans les appartements privés du Quirinal. Carrosses dans la cour, tapisseries précieuses aux murs, on y étouffait. Malgré le prestige de la charge, ils étaient restés dans leur appartement de la via Nomentana et avaient continué de fréquenter les Ongaro. Mais Giovanni fréquentait aussi quelques dames. Ce serait tout de même rageant que Noelie n'autorise plus ses allées et venues privées dans l'immeuble. Ces regards plissés qu'elle lui lançait le tracassaient. Gronchi soupesait les choses. Sa décision fut prise une nuit, alors qu'il tournait sans cesse dans son lit en repensant au gros contrat qu'Esso Standard Libya venait de signer avec les Anglais.

Dès le lendemain, le président Gronchi fit convoquer Bruno Ongaro au Quirinal. Il le reçut dans son bureau, où tout alla très vite.

— Nos discussions me sont précieuses, cher ami. Mais votre femme a raison, elles n'ont pas à encombrer nos parties de bridge. J'ai donc décidé de faire de vous mon chef d'état-major, en charge des affaires privées de l'État.

Bruno tombait des nues.

— Je vous rassure tout de suite. Le terme peut sembler inquiétant en ce qui me concerne, je suis un peu faible parfois, c'est vrai… En l'occurrence, les affaires privées de l'État recouvrent la défense et de ponctuelles questions de géopolitique.

Bruno avait refusé de devenir colonel. Il devint à compter de ce jour général. Il disposerait d'un secrétaire particulier, d'une voiture de fonction avec chauffeur, d'un contrat militaire, et bien sûr d'un bureau stratégiquement situé à côté de celui du président.

Bruno était encore sonné quand il retraversa le palais. Il resta quelques minutes dans les jardins du Quirinal pour se poser et faire le vide. C'était étrange, la vie.

— Attention à l'accélération ! disait souvent Noelie.

Sur le chemin du retour, Bruno acheta des fleurs pour sa femme et des gâteaux pour accompagner la nouvelle. Il pensait, en effet, l'annoncer au dessert. Il imaginait la tête que ferait Noelie. La fête que ce serait, les cris de joie, l'étreinte, peut-être les youyous. Pourtant, quand elle apprit la nouvelle, Noelie ne fut pas aussi surprise que Bruno l'avait escompté. Elle se réjouit pour lui, comme il l'avait prédit, mais eut aussi cette petite phrase étrange :

— Je me félicite de cette nomination.

24

Noelie repensait souvent à Imperia. Au chemin parcouru depuis, par les petites paysannes. Elle se demandait si l'heure n'était pas venue de le faire en sens inverse. Camilla n'était plus toute jeune. Ce voyage s'imposait, si possible pas dans un cercueil. Pourtant, ni la mère ni la fille n'arrivaient à se décider. C'était compliqué, douloureux, sûrement vertigineux.

Noelie aimait rendre visite à Bruno, dans le somptueux bureau qu'il occupait au Quirinal. Elle lui apportait des douceurs cuisinées par Camilla, ou seulement son sourire. Assise en face de lui, Noelie le regardait écrire. Quoi ? Elle n'en savait rien. C'était secret-défense, mystérieux comme elle aimait.

Si le président ne recevait pas un chef d'État étranger, ou n'était pas en Conseil des ministres mais seul dans son bureau, Noelie passait la tête par l'encadrement de la porte et lui faisait un rapide clin d'œil. Elle repartait comme elle était venue, saluant très gentiment au passage les gardes du palais. Eux s'étaient habitués à ses allées et venues. Ils ne s'étonnaient plus des visites de cette grande femme en long manteau et chaussures plates. Lors des réceptions officielles, ils la voyaient arriver dans la voiture officielle de son mari, avec chauffeur en habit militaire. Noelie avait toujours pour eux un petit geste jovial, qui était bien agréable.

— Comment ça se passe pour Bruno ? lui demandait Carla, lorsque les deux femmes se retrouvaient.

— Bien, je crois. Je n'en sais pas beaucoup plus.

Jusque-là, Noelie était sincère.

— De toute façon, c'est assommant ces questions-là !

Moins.

Pour Carla, les choses allaient mieux.

— Je te remercie. Ta mère et toi m'avez vraiment rassurée !

Noelie affichait un sourire modeste, chouïa crapule tout de même. Pour Ned aussi, les choses s'arrangeaient. Avec Annamaria, cela semblait sérieux. On l'appelait Minni maintenant. Noelie et Bruno appréciaient beaucoup l'allant de la jeune femme, et sa patience avec leur fils. La sœur de Ned, Barbara, était une jeune fille effacée qui, à tort ou à raison, se sentait un peu laissée pour compte. Cette nouvelle complicité dans la famille lui plut beaucoup. En somme, personne ne trouva à redire lorsque les tourtereaux se mirent à parler fiançailles. Ned allait bientôt faire son service militaire. Vu la position de son père, une carrière dans l'armée n'était pas à exclure. Ma foi, ce serait parfait. Pourtant, quand ses futurs beaux-parents l'interrogeaient sur ses projets d'avenir, le jeune homme restait vague. Une seule fois, il fit à son futur beau-père une réponse précise. Explorateur des mers et cinéaste. M. Benedetti, embarrassé, ne s'aventura pas à poser d'autres questions. Il eut un sourire pincé et en resta prudemment là. Minni n'avait que dix-sept ans, un peu tôt pour parler mariage.

Un jour que Noelie était, comme à son habitude, rapidement venue saluer le président Gronchi, il la retint.

— Tu parles arabe, n'est-ce pas ? demanda-t-il.

— Oui, et je le lis.

Le président réfléchissait à voix haute.

— Le terminal de Marsa el-Brega a livré d'importants chargements de pétrole aux tankers américains. Je viens de l'apprendre. On a encore été absents de ce coup-là. Et pour cause ! Personne chez nous n'arrive à identifier les interlocuteurs susceptibles d'être décisifs…

Noelie l'écoutait attentivement.

— Serais-tu capable d'aller en Libye voir ce que nous pourrions y faire ? Ce pays m'a l'air d'être une fichue nébuleuse.

Déjà vrai en 1958.

Noelie garda son calme et sembla hésiter. Cela n'étonna pas Giovanni Gronchi, conscient de l'inconvenance d'une telle proposition faite à une femme, et des risques. Il était naturel qu'elle soupesât tout cela.

Face au président, Noelie restait muette. Retourner en Libye… Elle avait espéré ce moment pendant vingt ans, si longtemps qu'à présent elle ne se sentait pas prête. Elle aurait eu tort de refuser, et avait peur d'accepter.

— Je suis évidemment honorée de ta confiance, Giovanni. Si c'est en mon pouvoir, je serais heureuse de servir mon pays. Mais il faut que je demande son avis à Bruno.

— C'est une évidence ! Nous ne ferons rien sans sa permission. Avec ton accord, je lui en toucherai moi aussi deux mots. Pour essayer d'infléchir sa position…

Noelie fit au président un sourire désuet. Demander une permission à Bruno, c'était une rigolade. Ce qu'elle voulait faire, c'était en parler avec lui. En parler vraiment.

En quittant le Quirinal, une angoisse fébrile l'étreignait.

25

Cette fois, c'est en avion que Noelie se rendit en Libye. Trois petites heures de vol, et tout recommencerait. Son émotion fut à son comble quand elle s'assit en première classe. Peu importait le standing. Seul comptait le soulagement de ne pas revenir au pays en vulgaire touriste. Un enjeu officiel habillait leurs retrouvailles. Peut-être la possibilité d'aider.

Sauf qu'en un quart de siècle, la Libye avait changé. Noelie eut toutes les peines du monde à retrouver ses marques. Des artères commerçantes avaient fleuri partout dans Tripoli, qui comptait plus d'un million d'habitants, et concentrait tous les lieux de pouvoir. Certains Libyens s'habillaient à l'occidentale, avaient l'eau courante dans leur maison, et parlaient mieux italien qu'à l'époque. Noelie ne comprit vraiment pas ce qui avait pu dérouter les émissaires du président Gronchi.

Même Benghazi s'était métamorphosée. Devenue

une grosse ville laide, les embouteillages y étaient aussi pénibles qu'à Rome. Partout, des banques rutilantes et le siège d'*oil companies* dynamiques. D'immenses bras chargés du forage défiguraient les abords du désert. L'extraction du pétrole n'en était qu'à ses débuts. Noelie ne voyait pas les champs pétroliers à perte de vue, qui surgiraient plus tard. Néanmoins, où que se posât son regard, il y avait une présence industrieuse et étrangère, qui la choquait.

Noelie se raisonna. L'or noir était bien sûr une très grande chance pour le pays. Il en retirerait d'importants bénéfices, qui l'aideraient à asseoir son autonomie financière et, partant, sa souveraineté. Quant à savoir qui étaient vraiment les étrangers en Libye, Bruno avait raison, ce n'était sans doute pas si simple. Noelie s'habitua aux baraquements en tôle, déposés là où avant seuls les chameaux allaient. Elle essaya de ne plus se sentir propriétaire du désert, uniquement des souvenirs qu'elle y avait. Elle accepta aussi qu'on y parle l'anglais. Ce fut difficile, car elle le comprenait mal. De toute façon, elle n'était pas revenue pour parler avec des Américains, elle était là pour les Libyens. Noelie représentait le gouvernement italien, et fut reçue par un ministre d'Idris Ier.

— *Kif ennec ?*
— *Labès !*

Noelie se mit à raconter. À se souvenir. Elle nommait les vents du désert et sut imiter le bruit de détonation sèche des coloquintes, quand les chameaux les écrasaient. Elle connaissait les puits éminemment stratégiques et savait si l'on y trouverait de l'eau jaunâtre, trop magnésienne ou délicieusement fraîche. Noelie respectait le désert, c'est-à-dire le pays, cela bien avant qu'on y trouve des hydrocarbures.

Il était agréable d'écouter cette femme-là. Qu'une Italienne parlât un arabe très fluide, étonnamment marqué d'expressions tribales, voilà qui faisait plaisir au ministre libyen. Plus que de parler concessions pétrolières. Boh, après tout, pourquoi ne pas traiter avec une Italienne ? Faire du commerce avec l'ancien occupant ne serait peut-être pas si désagréable. Jusqu'à présent, on s'était montré réticent. On les avait fait mariner, histoire qu'ils comprennent bien qui étaient les vrais chefs. Leurs missives restaient sans réponse. On avait même fait des ennuis de papiers à un groupe d'officiels bêcheurs, qui s'étaient vexés, avaient pris peur et précipitamment quitté le pays. Rien de méchant, pourtant. Pas comme si on avait menacé de les passer au sabre. Mais leur attitude avait été pénible et leurs discours, maladroits.

— Au nom de l'*amitié* historique qui a longtemps uni nos deux pays [...] *Grâce* à nous [...] Notre pays *aussi* a beaucoup *souffert* [...] C'est pourquoi nous pensons qu'il est *juste* aujourd'hui que...

Les Italiens s'étaient ensuite embrouillés entre chiites et sunnites. Ils avaient aussi demandé qu'une délégation officielle les accompagne à Misrata, pour assurer leur sécurité. Raté. Avec cette femme, c'était différent. Elle prenait le temps, le temps des sages et de la terre. Elle avait dit ce qui l'amenait, puis elle avait formulé des demandes précises sur des lieux et des gens, tout en buvant son thé brûlant. C'était une approche respectueuse. On se sentait digne en sa présence.

— Vous m'avez dit vous appeler comment ?

— Noelie Ongaro. Envoyée près le gouv...

— Peu importe, ça, la coupa le ministre. Noelie Ongaro, j'ai été heureux.

Noelie le regarda sans broncher. Elle ne se leva pas. Elle ne répondit rien. Elle attendait encore. Allait-il le dire ?

— La paix soit sur ta famille, dit enfin le ministre.

— Et sur la vôtre, Excellence.

Là, enfin, elle avait souri. Ils s'étaient compris. Noelie retourna enfiler ses chaussures. Elle les avait ôtées sans qu'on le lui demande, en signe de respect.

Libérée des contraintes d'une mission qu'elle venait de remplir, Noelie se rendit sur les lieux de l'ancienne base militaire de Bruno. Elle rechercha leur maison. Une plage de ses souvenirs. Ce fut, chaque fois, échec, vide et désillusion. Noelie finit par suivre du regard des papiers sales soulevés par le vent. Elle laissa traîner le bout de ses doigts sur la poussière saharienne qui recouvrait les capots brûlants. Un chien déchiquetait une bassine de plastique rose. S'il n'avait eu l'air si méchant, Noelie se serait agenouillée près de lui et l'aurait caressé. Ou aidé. Elle aussi avait envie de mordre.

Pour la première fois de sa vie, Noelie entra dans un restaurant de Benghazi. Elle commanda un cous-

cous à l'agneau, qu'elle mastiqua lentement. À quel défi avait-elle pensé se mesurer en revenant en Libye ? À quel espoir ? Il lui semblait se retrouver seule, le soir de Noël, dans une maison peuplée de souvenirs, d'échos de rires d'enfants et de toiles d'araignée. Aller nager ? Noelie souffrait du dos, une lourdeur sourde et basse. Elle rentra plutôt s'allonger à l'hôtel. Pendant la nuit, les douleurs devinrent intolérables et Noelie dut être conduite en urgence à l'hôpital. Un médecin libyen diagnostiqua une crise de colique néphrétique. Il demanda à sa patiente si elle préférait consulter un Européen. Malgré la violence du mal, Noelie comprit le sous-entendu.

— J'aime ce pays, docteur, murmura-t-elle. Soulagez-moi, s'il vous plaît.

— Morphine. Vous allez vite être moins douloureuse. Il n'y a rien d'autre à faire.

En effet, les déchirements dans les lombes s'estompèrent peu à peu. Noelie put recommencer à se lever. La crise était passée. Deux jours plus tard, elle quitta l'hôpital. Dans le taxi qui la ramenait à l'hôtel, Noelie se demanda ce qui avait pu la rendre si malade, elle qui avait toujours joui d'une santé de fer. Pourquoi des calculs lui avaient-ils imposé d'aussi insoutenables douleurs ? Elle ne voyait pas, mais ne fut pas mécontente de remonter dans l'avion.

Cette fois, c'en était vraiment fini de la Libye, pensa-t-elle.

Elle se trompait.

26

Bruno s'était échappé du Quirinal pour accueil-lir sa femme à l'aéroport. Dans la voiture officielle, sa main sur la sienne, il la pressa de questions sur le pays. Les couleurs du coucher de soleil, l'odeur des embruns, le bruit des naïls, ces sandales de cuir qui claquaient au sol. Comme si c'était hier. Noelie n'eut pas le cœur de démentir ses souvenirs, tous empreints d'une nostalgie fervente et de la sensualité des années passées là-bas. Elle le laissa dire et resta évasive sur les transformations, les *progrès*, qui avaient atteint ces images figées d'un temps révolu.

En revanche, elle fit au président un rapport précis de son entrevue avec le ministre libyen. Cependant, ajouta-t-elle, on ne pouvait préjuger d'une éventuelle détente entre les deux pays. L'histoire était tout de même passée par là. Quelques semaines plus tard, les espoirs de Giovanni Gronchi furent pourtant comblés. Il en informa Noelie, qu'il avait à nouveau fait venir dans son bureau.

— Le ministre libyen du Pétrole nous a contactés ! Il accepte de présenter l'Italie à la prochaine commission d'attribution des concessions pour le forage et l'exploitation dans le bassin de Syrte.

— C'est une très bonne nouvelle.

Noelie était vraiment heureuse pour lui, et rassurée pour elle. Elle n'avait pas échoué.

— Il subsiste néanmoins quelques petits soucis, dont je souhaitais m'entretenir avec toi... Tout d'abord, ils nous imposent de choisir à l'aveugle les concessions, sans étude topographique ni relevé géologique préalables. Toutefois, le risque semble minime. Jusqu'à présent, tous les puits de la région ont permis un pompage abondant.

Il s'arrêta.

— L'autre souci, qui n'en est peut-être pas un... c'est que le ministre exige de traiter avec toi, et toi seule. Tu serais leur seule interlocutrice agréée.

Ah si, c'était un souci.

C'était flatteur, sans doute, mais Noelie sut immédiatement qu'elle n'avait aucune envie de repartir là-bas. En tout cas, pas pour installer des bras de forage dans un désert jadis immaculé. Silence. Noelie avait appris à le manier aux temps lointains d'Imperia. Elle ne se doutait pas qu'un jour elle s'en servirait, non plus pour se faire comprendre, mais vraiment pour se taire.

— C'est évidemment une énorme contrainte. Je

m'y suis, bien sûr, opposé. Mais le ministre, un certain monsieur...

Giovanni fouillait dans ses papiers pour retrouver le nom un peu compliqué dudit monsieur. Noelie ne l'écoutait plus. Elle revoyait les buildings flambant neufs de Benghazi. Elle imagina son prénom écrit en lettres clinquantes sur une de leurs luxueuses façades, et revit les casques de chantier zébrant les paysages de leur couleur criarde. La quiétude du désert détruite par de bruyantes machines.

Que Noelie ne desserre pas les lèvres n'inquiétait pas le président. Il pensait connaître les femmes à force, et savait en passer par ces moments de blocage et de refus net, comme celui du cheval devant l'obstacle. Tout allait bien jusque-là, il faisait beau. On galopait tranquillement, puis, allez comprendre, les quatre sabots freinent d'un coup. L'animal pile. Parfois, avec les femmes, suivaient les cris, les caprices et le chantage. Mais Carla, par exemple, finissait toujours par se calmer, et Giovanni savait d'expérience qu'il suffisait d'être patient. Il était prêt à tout ça, même si là, bon sang, le temps pressait.

Silence buté.

Giovanni aurait vraiment besoin d'en passer par Bruno. Ce fut la seule fois où Bruno entendit sa femme dire non. Non à l'aventure, non à l'entreprise et, ainsi qu'il lui sembla, non à la vie. Il ne comprenait pas.

— Je ne veux pas participer à ça. C'est tout.

Il fallait qu'il y eût une raison, une bonne. Noelie

n'en donnait aucune. Bruno interrogea Camilla. Elle était aussi surprise que lui et ne sut quoi dire. Le président Gronchi essaya de persuader Noelie de toutes les manières qu'il avait à sa disposition. Il lui fit miroiter un contrat extrêmement avantageux. Les finances actuelles de l'État le permettaient.

Silence.

Une voiture avec chauffeur pour elle seule.

— Deux voitures dans la famille ! Alors qu'il est déjà impossible d'en garer une dans notre rue !

— Tu n'auras pas à t'occuper de problèmes de parking, Noelie. Cela ne t'incombera pas, dit Gronchi, d'une voix devenue lasse.

Le président organisa finalement une réunion, à laquelle assistèrent le président du Conseil et chef du gouvernement, Amintore Fanfani, le ministre des Finances, le ministre de l'Industrie et celui des Affaires étrangères, ainsi qu'évidemment Bruno et Noelie. Le président exposa brièvement la situation de blocage à laquelle on était arrivé.

— Je comprends les hésitations de Mme Ongaro. Je crois même que je les respecterais, si les intérêts supérieurs de l'État n'étaient en jeu, comme c'est malheureusement le cas, continua le président.

Tous les visages étaient tournés vers Noelie. Sauf celui de Bruno, qui fixait un point sur le mur. Les mines étaient graves.

— N'y a-t-il pas moyen d'infléchir plutôt la position des Libyens ? Leurs exigences sont inadmissibles. Obliger une femme, *a fortiori* une femme qui évidemment ne connaît rien au dossier… Excusez-moi, madame, de me montrer aussi direct, mais je présume que c'est la vérité, dit un ministre.

Noelie devait bouillonner intérieurement. Elle tint bon, et garda non seulement ses nerfs, mais le silence. Son arme de toujours.

— Nous avons déjà essayé. C'est un refus catégorique, de ce côté-là aussi, répondit Gronchi. Nous ne sommes pas en position de force avec eux. Pour l'instant, c'est nous qui sommes demandeurs. Chef d'état-major Ongaro, une idée ?

— Non, monsieur le président.

Chacun commençait à ramasser ses feuilles. La réunion au sommet aurait dû s'arrêter là.

— Je vais y aller, dit tout à coup Bruno. Sur place, je trouverai peut-être une alternative.

Pas ça.

Tout, mais pas ça. Bruno ne devait pas être obligé d'aller enterrer, lui aussi, ses souvenirs dans le désert. Il fallait l'en protéger. Le calcul fut donc simple, même si celui-là aussi était douloureux.

— C'est d'accord, dit Noelie.

Tous les regards fusèrent vers elle. Sourcils froncés, mines perplexes devant ce retournement soudain. Décidément, les femmes… C'est le président Gronchi qui se ressaisit le plus vite. Incroyablement soulagé, il resta sobre.

— Mes chers collaborateurs, j'aime cette dynamique de travail, dit-il en conclusion de séance.

27

Les nouveaux voyages en Libye furent moins pénibles. Noelie savait à quoi s'attendre. Plus jamais elle n'eut la sensation d'un champ d'éoliennes poussées dans la garrigue de son enfance. Ses vrais souvenirs resteraient intacts, elle s'en fabriquait seulement d'autres à présent. Il se révéla que la Libye disposait des plus grandes réserves pétrolières d'Afrique, dont l'Italie put dès lors avantageusement profiter. Noelie avait obtenu de se rendre à Tripoli avec une mallette remplie des tampons officiels de son gouvernement, de feuilles à en-tête de la présidence de la République italienne, ainsi que de chèques en blanc.

— Je ne suis ni une diplomate ni une potiche, avait-elle justifié quand on lui avait opposé le cadre légal et les règles de l'art. Les Libyens veulent traiter avec moi? Je vais là-bas, et c'est moi qui signe les contrats. Ou bien je n'y vais pas.

Elle eut gain de cause sur tout ce qu'elle demandait.

La légitimité, Noelie ne serait jamais disposée à céder là-dessus. Elle n'exigea rien d'autre.

Des deux côtés de la Méditerranée, Noelie avait des discussions avec les plus hauts personnages de l'État, toujours sans façon, avec ce style direct qui était le sien, exempt de vanité et de courbettes inutiles. Par tradition, les chefs d'État étrangers en visite à Rome séjournaient dans les appartements situés dans l'aile du Quirinal de la via XX Settembre, et c'est dans ce palais qu'étaient donnés dîners officiels et réceptions en leur honneur. Noelie et Bruno y furent chaque fois conviés. Ils rencontrèrent, entre autres hôtes de marque, Charles de Gaulle, Churchill déjà Vieux Lion, John F. Kennedy, ou encore Judy Garland et Charlie Chaplin. Ils virent, en petit comité et à plusieurs reprises, Jean XXIII, dit le bon pape. C'était devenu naturel, presque normal.

Le mariage de Ned et Minni eut lieu en avril 1959. Initialement prévu fin juin en espérant une journée belle et chaude, il avait dû être anticipé. Un soir, la jeune fille s'était précipitée en larmes dans les bras de Noelie et lui avait avoué être enceinte. Ce fut tout de même un très grand mariage, célébré en la basilique Saint-Pierre de Rome par le cardinal Tardini, et auquel assistèrent tous les amis de premier plan que l'on avait au gouvernement, les personnalités en vue de l'époque et la très bonne société romaine. Il fut bien agréable à Noelie d'y inviter quelques familles de Porto Santo Stefano, avec qui les rapports avaient parfois été un peu frais. Des tables avaient été alignées dans l'un des salons du Quirinal pour exposer les mirifiques cadeaux reçus par le jeune couple. Après quelques hésitations, on avait refusé le chameau.

Au moment de son mariage, Ned faisait son service militaire et portait sa tenue, qui tombait droit. Son père aussi. Noelie avait pris soin d'exposer sur le grand uniforme de son mari médailles militaires, croix et rubans. Elle couvait la mariée du regard. Il s'en était fallu d'un cheveu que la Callas assistât au mariage mais ce furent finalement Camilla et Noelie qui, prenant un microphone, chantèrent à elles deux un *trallalero* ligure du plus bel effet.

Trois émissaires du Vatican assistèrent à la brillante noce. Il fallut par la suite toute la force de persuasion du président Gronchi et une entrevue, les larmes aux yeux, de Noelie et Bruno pour que les émissaires acceptent d'intercéder auprès des autorités vaticanes compétentes, la Sacra Rota, afin de faire procéder à la reconnaissance en nullité du mariage, pourtant consommé, de Ned et Minni.

Quand ce fut accordé, leur fille avait quatre mois. C'était moi.

28

Racontant la vie de ma grand-mère, il fallait bien, tôt ou tard, que j'apparaisse. Ce n'est pas ce qui me réjouit le plus. J'en suis même gênée. Noelie professeur de lycée, simple voisine ou sœur de la mère d'une amie m'émerveillerait de la même manière. Je le pense sincèrement. Cette femme laisse une empreinte sur tous ceux qui la croisent, sur moi comme sur les autres. L'aimer est à la portée de tous. L'unique prérogative dont je peux me targuer est de la voir souvent, de l'écouter parler et de bien la connaître. Bien sûr, dans la vraie vie, être sa petite-fille est un privilège, mais pour la raconter, ça n'est plus qu'un moyen. En ce sens, ma naissance ne change rien. Je ne suis pas le sujet de ces pages, je n'en suis que l'auteur. Si un jour j'ai des enfants (j'y pense beaucoup ces temps-ci) et que devenus grands ils s'intéressent à cette histoire, c'est bien cachée entre les lignes qu'ils trouveront leur mère.

Barbara était déjà maman quand Minni le devint. Noelie et Bruno étaient donc déjà grands-parents. Mais je fus entourée dès ma naissance d'une saveur et d'une tristesse particulières. On m'appela Noelie et c'est Noelie qui en décida. Immaculata, de mon deuxième prénom, car, non sans humour, j'étais née le 8 décembre, jour de l'Immaculée Conception. Ned, tout sourire, passait de temps à autre me voir. Il était très amusé par mon corps gigotant et m'appelait Chicco[1]. Le surnom m'est resté. On prit tout de même soin de le féminiser en Chicca. Prononcez *Kika*, s'il vous plaît.

Ned reprit la mer et sa liberté, jamais vraiment abandonnées. C'était même la raison. Minni devenue mère célibataire, ni elle ni moi ne nous sommes senties seules pour autant. Les parents Benedetti avaient très mal pris la chose. Ils la vivaient comme un déshonneur et n'y voyaient qu'un vulgaire abandon. Si Noelie ne pouvait leur donner tort sur le fond, elle mit tout en œuvre pour garder avec eux les liens tissés, et s'évertua à nous entourer, ma mère et moi, de toute son affection.

Le train de vie de Noelie et Bruno s'était confortablement amélioré. La maison de Porto Santo Stefano avait été changée pour une plus grande, nettement plus belle, devenue le lieu de fêtes nombreuses, dansantes et très gaies, où l'on vint bientôt se presser. Ce qui chagrinait ma grand-mère, c'est que l'on y était

---

1. *Grain de café*, en italien.

très entre soi, sans l'intelligence et la joie de vivre de ces gens *du commun* qui, à ses yeux, ne l'étaient pas du tout. À Rome, se mélanger était compliqué. À la mer, Noelie décida que dorénavant les fêtes seraient costumées. S'y mêleraient ainsi les pêcheurs qu'elle connaissait, des vendeurs saisonniers devenus des amis ou encore de talentueux chanteurs de rue. Il suffirait de les accueillir dans une antichambre de la maison pour qu'ils y choisissent leur costume et se griment.

Somptueux costume du carnaval de Venise pour un vendeur d'oursins, toge et spartiates romaines pour un ministre, perruque et maquillage Marilyn Monroe pour une duchesse plus si jeune, et robe Minnie Mouse avec nœud rouge à pois blancs dans les cheveux pour la septuagénaire Camilla... Bruno se plaisait beaucoup en Soliman le Magnifique, premier sultan ottoman à avoir pris d'assaut Tripoli, en 1551. Il portait un immense turban orné de plumes d'autruche et un caftan de velours pourpre nanti de pierres précieuses, peut-être fausses. Avec beaucoup d'autodérision aussi, Noelie opta pour un scandaleux pagne de bananes, fume-cigarette et boa de plumes, très Joséphine Baker revisitée. Avec plus de vanité, elle jeta ensuite son dévolu sur Zorro. Noelie en bottes de cuir souple, masque, cape, épée et l'ombre de Tornado, le célèbre cheval, dont elle imitait pendant la soirée le hennissement, voilà qui émerveillait les enfants. C'étaient des soirées mémorables de rires et de bonheur, où l'on essayait d'empêcher Camilla de cuisiner, pour qu'elle aussi vienne s'amuser, peut-être pas danser mais au moins regarder, avec sur son beau visage ridé cet éternel sourire gentil. Je traînais à quatre pattes et en couche de tissu, finissant par m'endormir sous les chaises du jardin, mon pouce dans la bouche. Plus grande, pour me faire belle, je mettrais un maillot de marin et un pantalon cigarette, comme on en voyait à Saint-Tropez. Je dansais et faisais la farandole avec d'autres petits rencontrés sur la plage. Les fêtes duraient jusque tard. Parfois, les adultes avaient bu trop de champagne. On s'amusait tellement !

Si le lendemain était un lundi, Bruno repartait au Quirinal avant l'aube. Sans turban ni bijoux, sans plus le reflet des lanternes colorées sur ses habits richement parés, ce n'était qu'un général encore ensommeillé, avec une calvitie élégante, des manières aristocratiques et pourtant naturelles. Son chauffeur ouvrait la portière de la voiture et s'évertuait à regarder ailleurs, le temps que le général mette une main aux fesses de Noelie qu'il quittait pour deux jours. On s'était habitué à ce mélange des genres, entre attitudes très dignes et gestes franchement olé olé du chef d'état-major. Ce n'était là, entre lui et sa femme importante, que les restes diurnes d'un langage assumé qui, en privé, faisait des étincelles.

Bruno partait travailler sur d'autres dossiers brûlants. Il devait, sous huitaine, accompagner le président Gronchi dans un délicat voyage officiel en URSS. Ce fut la dernière fois. Bruno ne l'assisterait pas lors de la crise des missiles de Cuba car, en mai 1962, Giovanni Gronchi quitta la présidence de la République italienne pour devenir sénateur à vie, et Bruno quitta également ses fonctions. Il garda son titre, ainsi que son chauffeur-intendant, un militaire du nom de Parolissi, dont les talons claquaient chaque fois qu'on lui parlait. Si la parenthèse avait été passionnante, Bruno ne fut pas mécontent d'avoir à nouveau du temps libre. Il avait envie de se montrer très disponible pour Minni et se sentait fort bien disposé pour moi.

Il nous emmena où nous voulions aller, faisant lui-même des suggestions si nous n'avions pas d'envies précises. C'était la plage, le cirque ou bien le théâtre de guignol dans la Villa Borghèse. Quand je fus plus grande, Bruno m'offrit un vélo. J'appris à pédaler, mon grand-père à mes côtés, se récitant des poèmes de Dante ou songeant aux guerres puniques racontées par Hérodote. Quand il s'apercevait de ma disparition, c'était la panique. À trois cents mètres de là, j'étais tombée de vélo et soufflais toute seule sur mes genoux en sang. Même loin, Bruno était là, indéfectiblement. Ma main dans la sienne et le visage confiant de Minni lui faisaient du bien. Nous n'étions plus abandonnées. *Nonno* ne comprendrait jamais comment son fils avait pu faire une chose pareille.

Ned s'était acheté un bateau. Évidemment, c'est Noelie qui l'avait payé. Il vivait à bord et se disait heureux. Les week-ends, il s'ancrait au large de la maison de Porto Santo Stefano pour venir dîner en famille. Il le faisait à la nage, arrivant à la table du soir en maillot de bain ruisselant d'eau de mer, bronzé, radieux même, quoiqu'on pût aussi le trouver étrange. Il m'emmenait parfois sur son bateau. À quatre pattes, moi juchée sur son dos, Ned se sentait galvanisé par mes éclats de rire. Il imitait les cris des animaux, me racontait leurs mœurs, souvent étranges, parfois cruelles. Ned les expliquait bien. Il en oubliait de nous faire à manger. Si je me plaignais d'avoir faim, mon père me regardait, surpris. Soudain dégrisé. À défaut d'autres nourritures sur le bateau, il proposait des bonbons, mangés jusqu'à écœurement. Puis il me laissait m'endormir, couchée sur les lattes du pont. La nuit tombait. On n'entendait plus que le clapotis des vagues contre la coque du bateau. Ned voyait les loupiotes de la terre ferme et les baies éclairées de la maison de ses parents. Je sentais sa main me caresser les cheveux. Une main douce mais désemparée.

Quelques heures plus tard, le froid me réveillait. La première fois que je m'étais retrouvée seule sur le pont, désorientée et abandonnée, j'avais pleuré. Hurlé, même. Cela n'avait servi à rien. J'avais appris à ramper à tâtons vers l'escalier, avec pour seule veilleuse les étoiles nombreuses dans le ciel. Je rejoignais la cabine de mon père et me mettais dans ses bras sans le réveiller. Le matin, levée avant lui, je remontais sur le pont et comptais les mouettes, en attendant un petit-déjeuner qui ne viendrait pas.

Ned m'avait appris des rudiments de brasse mais je coordonnais mal mes mouvements. Les vagues de pleine mer me faisaient boire la tasse et me piquaient les yeux.

— Quand les bébés naissent, ils savent déjà nager. C'est un instinct de survie archaïque. Malheureusement, en grandissant, ils oublient. Il ne faut pas apprendre à nager, tu dois juste te souvenir. Au fond de toi, tu sais déjà, me disait-il.

Pour rafraîchir cette mémoire enfouie, Ned m'aidait à grimper au grand mât du voilier. Quand j'étais à trois mètres du sol, les yeux fermés, il disait :

— Un, deux, trois. Saute !

Je sautais. Je voulais tellement que mon père me sache courageuse. Mes jambes pédalaient dans les airs jusqu'à l'impact brutal contre la mer, où je m'enfonçais interminablement. Je finissais toujours par remonter à la surface, sonnée mais victorieuse. L'instinct de survie, en effet.

— Tu m'as vue, papa ? Tu m'as vue ?

Tout en s'occupant du gréement, sans même me regarder, Ned disait seulement :

— C'est bien. C'est comme ça qu'on apprend la mer.

Avait-on procédé ainsi avec lui ? Avait-il reçu une éducation militaire malgré tout ? Non. C'est mystérieux, ce que les leçons d'une éducation peuvent faire à un homme. Comme elles peuvent sauter une génération et incomber à la suivante, transformées et devenues dures.

Ma grand-mère assista une seule fois à la scène. Elle était venue sur le bateau de son fils apporter des tellines pour notre déjeuner. Je ne résistai pas à l'envie de briller et grimpai au mât, presque en haut cette

fois. Je comptai dans ma tête puis sautai. Noelie aussi.
Elle plongea, tout habillée, pour me sauver. Et elle me
mit une claque.

— Ne refais jamais ça !

Je répondis que papa était content, lui, quand je le
faisais. Noelie resta silencieuse. Elle ne raconta rien à
Minni, et nous serions très surpris, quand Ned dispa-
raîtrait deux ans, que Noelie n'en soit pas plus triste.
On le disait parti avec son voilier dans les mers du
Pacifique. Resta-t-il en cale sèche, terré à cinquante
kilomètres de là, à se nourrir de Carambar en se
demandant ce qui ne tournait pas rond en lui ? Il n'envoya jamais de carte postale.

Il pouvait ne pas penser à moi pendant six mois,
j'en suis sûre, pas une seule fois, puis il me retrouvait
avec un bonheur fou. Il me racontait ses nouveaux
projets, dans lesquels j'étais toujours aux avant-postes.
Survolant la Patagonie en montgolfière ; traversant
le pôle Nord avec des chiens de traîneau ; dans un
sous-marin rose. Les premières fois, je le crus. Je pré-
parais mon sac. Au matin, mon père était déjà reparti.
Sans moi.

Minni n'avait pas pleuré quand Ned l'avait quittée.
Elle était peut-être trop jeune, trop orgueilleuse, ou
juste perspicace. Elle avait pris des cours de dactylo
puis avait décidé de devenir vendeuse chez un anti-
quaire. Les Benedetti et les Ongaro en avaient été surpris, eux qui étaient évidemment prêts à l'aider.

— Votre argent ne me dispense pas de travailler,
avait répondu la jeune femme.

Phrase qui avait rencontré l'incompréhension de ses parents et fait la fierté de Noelie. Non seulement sa bru était valeureuse, mais c'était son fils qui l'avait choisie.

Ned n'avait donc pas que des défauts.

29

Après le départ de Gronchi, remplacé par Antonio Segni, Noelie avait gardé ses entrées au Quirinal. Elle y pénétrait toujours comme dans un moulin, saluant simplement les gardes républicains qu'elle connaissait, ou qui étaient nouveaux. Elle restait précieuse aux membres de son gouvernement, indispensable même. Car les Libyens, qui eux aussi se succédaient, continuaient d'exiger la présence de cette femme, à l'aise sur un chantier autant que dans une méharée. Noelie savait comment parler aux membres de l'OPEP et il semblait aux Libyens qu'elle faisait attention à leurs intérêts, défendant fermement leur droit à influer sur le prix du baril, tout en restant loyale au pays qu'elle servait.

Noelie ne travaillait plus sur le coin d'une table et ne passait plus non plus faire coucou au président. Elle avait maintenant son bureau, dont elle avait pour habitude de laisser la porte ouverte. Elle connaissait tous les membres influents de la DC. Parfois parce qu'elle les avait vus danser le jerk et le madison à ses fêtes, déguisés en Capitaine Crochet ou en Gandhi. Souvent parce que c'étaient les mêmes qui tournaient au gouvernement depuis vingt ans. Enfin parce qu'elle était bien obligée d'entrer dans leurs bureaux pour y rechercher ses oiseaux quand ils disparaissaient. Car, si elle laissait la porte de son bureau ouverte, elle veillait à ce que les fenêtres en soient toujours fermées. Les oiseaux ne pouvaient pas être bien loin.

Les chats avaient pour eux les ruines du Forum, les pierres du Colisée, toutes les statues de la ville, mais n'avaient pas droit de cité au Quirinal. C'était donc une enceinte parfaitement sécurisée pour les oisillons tombés du nid que Noelie avait pris l'habitude de recueillir. Elle les nourrissait de mie de pain trempée dans du lait, parfois directement de sa bouche à leur bec, et les regardait patiemment reprendre des forces, logés dans des boîtes à chaussures remplies de papier journal et de foin.

Quand Noelie jugeait les oisillons à même, elle les relâchait dans les jardins et surveillait avec appréhension leurs premiers battements d'ailes. S'ils s'envolaient à jamais, c'était tant mieux. S'ils retombaient plusieurs fois, elle les reprenait dans ses mains et les remettait en lieu sûr pour quelques jours supplémentaires. Parfois, les petits imprudents quittaient avant l'heure dite leur nid de fortune et voletaient jusqu'aux bureaux voisins. On voyait alors leur bonne fée les chercher sous les guéridons, inspecter lustres et vases en porcelaine de l'ère Qing, et entrer sans façon dans chacun des bureaux du couloir. S'il y eut quelqu'un pour l'appeler *la vieille folle*, tous savaient que Noelie signait aussi de temps à autre des contrats de plusieurs centaines de milliards de lires. Lui furent donc rarement reprochées les nombreuses fientes d'oiseau sur le dossier des canapés anciens.

Noelie ne regagnait plus que les week-ends la maison de Porto Santo Stefano, où Bruno restait quasiment à demeure. Il voyait toujours revenir sa femme avec plaisir. Les mois d'été, cela devenait du soulagement. Il se sentait dépassé par les hordes d'enfants séjournant avec lui. Camilla l'aidait. Elle avait un bruit pour essayer de les calmer :

— Ssssa, les enfants ! Sssssssa !

Cela avait marché avec les poules. Ça fonctionnait moins bien avec nous. Le général s'y mettait.

— Sssssssa, les enfants !

— Sssssssa ! essayait Parolissi.

Ils n'étaient pas mécontents, quand Noelie revenait le vendredi soir, qu'elle emmenât tout ce petit monde sur le bateau dès le lendemain matin. Depuis que Ned avait disparu avec le sien, Noelie avait acheté un autre voilier, plus grand, avec une coque laquée noire. Il y fallait un équipage de quatre personnes pour la navigation, dont Noelie était déchargée. Elle pouvait se consacrer entièrement aux enfants de trois à onze ans, qui adoraient ces robinsonnades avec elle. Elle inventait pour nous des aventures et y mettait, comme à l'ordinaire, un immense talent de vie qui la faisait ressembler à la vraie, en mieux. Sur son idée, l'équipage pouvait mimer un échouage sur la petite île de Giglio, située en face de Santo Stefano.

— On a heurté un rocher ! hurlait le capitaine.

— Il faut construire un radeau ! disait un mousse.

Nous débarquions sur la plage organiser le campement. Pour le repas, Noelie partait avec les plus grands pêcher des oursins. J'allais avec les petits. Le capitaine nous emmenait chercher des branches de bois. On les trouvait déjà empilées, et toutes sèches. Quelle chance ! Nous étions naïfs et nous étions heureux, tellement fiers de pouvoir faire griller les saucisses dénichées dans la cale du navire.

Il y avait aussi des éclairs au chocolat et de la crème solaire.

Un enfant s'inquiétait tout de même.

— On fait semblant, expliquait Noelie.

On aurait pourtant dit qu'elle y croyait. Elle sortait une longue-vue d'une besace de cuir et évoquait la présence de pirates, quelque part dans le lointain. Il fallait élaborer une stratégie défensive. Remparts de sable, boucliers de fortune et heaumes d'algues. Comme les méchants tardaient à se montrer, on se battait finalement entre nous. Il y avait beaucoup de cris. De guerre ou de joie, comment savoir, c'étaient les mêmes. Puis le bateau reprenait tranquillement la mer pour rentrer à la maison. Exténués, on s'endormait dans des hamacs suspendus sur le pont, et trouvions des grenadines fraîches à notre réveil. Se remet-on jamais d'une enfance pareille ?

S'il faisait mauvais, nous restions dans la propriété. Là aussi, il était rare que l'on s'ennuie. Noelie pouvait nous réveiller à 5 heures du matin, mes cousins et moi, ainsi que nos jeunes amis restés dormir. Elle nous prévenait qu'une chose extraordinaire venait de se produire. Des Indiens s'étaient installés dans le jardin pendant la nuit.

On s'habillait à la hâte, pendant que Noelie nous racontait l'histoire de Cheval volant, un valeureux chef sioux. Sa tribu venait d'être décimée par des Visages pâles sans cœur. Lui, avait trouvé refuge dans le jardin, avec quelques survivants apeurés. Nos yeux s'écarquillaient.

— Évidemment, les Indiens ne parlent pas italien. Il va falloir ruser, expliquait ma grand-mère.

Je doute que Bruno aimât beaucoup porter l'immense couronne de plumes du chef sioux, ni devoir se mettre de la peinture rouge sur les joues. Passaient encore les colliers de coquillages, mais rester assis en tailleur sans bouger, ce n'était plus de son âge. À cela s'ajoutait une autre difficulté. Il ne fallait pas rire. Même en voyant Parolissi nanti d'une coiffe traditionnelle, d'une large veste à franges, avec dans le regard toute la détresse du monde. Personne n'avait jamais su refuser quoi que ce soit à Noelie.

Chacun restait dans son tipi, les fesses sur la terre humide, pour recevoir, bras croisés et visage impassible, les gestes respectueux des enfants. Camilla finissait par être découverte dans le parc. Son sort n'était guère enviable. Non seulement elle aussi était en robe d'Indienne, à son âge, mais elle était attachée par plusieurs tours de corde au tronc d'un gros pin. Avec notre aide, Noelie la délivrait.

— Cet otage est sûrement le signe que les Visages pâles ont traqué nos amis Peaux-Rouges jusqu'ici. Apprêtons-nous à devoir les défendre avec honneur, disait-elle gravement.

Il fallait se construire des arcs et des flèches. Cheval volant nous emmenait ramasser des pommes de pin pour faire un grand feu. Nous les disposions selon un ordonnancement magique et, d'un air pénétré, regardions les flammes grandir. Noelie nous faisait signe d'être attentifs aux crépitements du feu.

— Écoutez, mes chatons ! Les esprits pacificateurs nous parlent !

Le clou de ce jeu était la danse du calumet. Cheval volant se devait de l'initier, chantant en pseudo-langue dakota diverses incantations, entrecoupées la main sur la bouche de cris sioux. Nous nous joignions à lui, ainsi que Parolissi et Noelie. On tournait autour du feu, laissant l'excitation nous dépasser. Les lourdes coiffes de plumes glissaient, dévoilant les calvities. Cheval volant, de plus en plus Bruno, les genoux ankylosés de sa trop longue station assise, peinait à suivre le rythme. Parolissi disait qu'il fallait vraiment beaucoup s'aimer pour se donner tant de mal. Noelie riait aux éclats. C'est un spectacle d'un bonheur rare de voir le moment extraordinaire d'une enfance. Cela devient un privilège, si l'on y participe, semblait-elle penser. Surtout à l'âge adulte. Surtout si on n'a pas eu d'enfance à soi, aurait pu dire Bruno. Ils jetaient toutes leurs forces dans ce bouquet final. Pour ce moment de liesse débridée, on acceptait la défection de Camilla. Elle boitillait vers la cuisine préparer une grande casserole de chocolat chaud et des tartines sucrées. Quel monde c'était, sa Noelie.

Quand le soir tombait ou qu'arrivait le moment, Noelie nous asseyait autour de la cheminée pour nous raconter des histoires. C'était toujours la sienne que nous redemandions. Noelie pilote d'avion, Noelie princesse du désert, Noelie super-héros. La valeureuse grand-mère prenait de l'élan et transformait les années libyennes en épopée collective. Son Sahara fourmillait d'anecdotes palpitantes. Notre imagination s'en mêlait et débordait les récits. Les garçons se levaient pour mimer d'héroïques combats. Les petites filles laissaient patiemment passer l'orage, attendant de pouvoir rentrer au palais de Tripoli faire des révérences.

— Raconte-nous quand tu étais la fille du roi !

Le grand moment.

Noelie parlait crinolines, la citrouille devenait carrosse et l'arrière-grand-père *podestà*, un puissant monarque. Il fallait au récit des bals, des montagnes de gâteaux à la crème et un orchestre pour faire valser les invités. Noelie adorait se rendre dans ce pays imaginaire, où Tripoli la Magique revêtait ses habits d'apparat. Ces histoires étaient tricotées avec des mailles très lâches. Noelie tenait à ce que la statue de la Liberté soit déménagée de New York pour trôner dans le désert, au cœur de la mer de sable de l'erg d'Oubari. Un enfant décrétait qu'en Libye la mousse au chocolat serait obligatoire au goûter. J'imaginais mon papa se plaire dans ce pays et rester avec nous. Ces escapades donnaient lieu aux rêves de chacun, elles nous rendaient heureux. Bruno n'y participa jamais, ou alors à sa façon. Il parlait en arabe à Noelie, comme s'il l'avait grondée. Elle traduisait parfois.

— Nonno vient de me dire que je vous racontais de très belles histoires ! On le remercie du compliment ?

Noelie était hilare, Bruno claquait une porte. Décidément, il n'aimait pas ce jeu.

— Ce sont des enfants, Bruno ! criait-elle. Et même devenus grands, on a encore besoin de rêver, non ?

Quelle question.

30

En 1969, un coup d'État militaire secoua la Libye.

De flagrantes inégalités sociales avaient miné le pays. Pour mieux répartir entre Libyens la rente du pétrole (dont les meilleurs gisements étaient tous en Cyrénaïque), le roi Idris avait décidé d'abroger le fédéralisme, et promulgué une nouvelle Constitution qui, de droit, unifiait vraiment le pays, rendant tous ses habitants égaux. Mais trop de gens s'entassaient déjà dans les bidonvilles à la recherche de travail et d'argent.

Bien sûr, certains Libyens avaient su tirer leur épingle du jeu. Ces nouveaux riches roulaient dans d'énormes voitures et pensaient moderne. On avait sacrifié le désert à l'argent, et alors ? disaient-ils. Alors les nomades déracinés et les petites gens se sentaient perdus. Il y eut des émeutes, violemment réprimées par les forces d'Idris Ier. Puis un jeune Libyen de vingt-sept ans s'autoproclama colonel, renversa le gou-

vernement, et du même coup la monarchie. Il s'appelait Mouammar al-Kadhafi.

Né en 1942 dans le désert de Syrte, non loin de
Benghazi, le jeune Kadhafi avait grandi comme un
Bédouin pauvre de la tribu des Kadhafa, d'où lui
venait son nom. Il s'était construit une conscience
révolutionnaire, et une fois au pouvoir voulait
construire un nouveau pays. Sa doctrine était un
mélange, peut-être savant, en tout cas inédit, du pana-
rabisme de Nasser, du refus d'un État organisé, voire
de sa négation, ainsi que d'un farouche anti-impéria-
lisme. Rien pour faciliter les affaires de Noelie. Les
relations qualifiées par euphémisme de diplomatiques
entre la Libye et l'Italie, et qui toutes concernaient le
pétrole, furent brutalement interrompues par le coup
d'État. Pour *pacifier* son pays, Kadhafi eut recours à
des violences de tous ordres. Pour asseoir son autorité,
à des épurations. Noelie laissa sagement passer ces
années-là. Kadhafi combattait l'*ordre injuste* qui, selon
lui, avait prévalu jusque-là. Le colonel voulait briser
les corps intermédiaires. Il opposait la bourgeoisie
urbaine aux tribus qu'il défendait farouchement. Surtout la sienne. C'est par cette petite porte en peau de
bouc que Noelie allait revenir à Benghazi.

L'Italie avait évidemment besoin de pétrole. Jusqu'à
présent, c'était en Libye qu'elle avait pu l'acheter au
meilleur prix. Mais le premier choc pétrolier venait
de passer par là et c'était la panique. L'approvisionne-
ment bloquait. Le gouvernement d'Aldo Moro décida
de refaire appel aux services de la meilleure ambassa-

drice en la matière que l'Italie ait jamais eue. Noelie accepta de repartir.

La Libye de Kadhafi était un pays inconnu, où l'italien et la pizza étaient désormais bannis. D'immenses portraits du Guide surveillaient les artères de Benghazi, ses aphorismes révolutionnaires le cerveau des habitants. Noelie, qui n'était jamais contre un shoot d'adrénaline, fut amplement servie. Au lieu de la recevoir dans un bureau, des hommes en treillis lui bandèrent les yeux, avant de l'allonger de force sur la banquette arrière d'une voiture dont aucun feu rouge n'arrêta plus la course. À la vue des kalachnikovs dépassant des portières, les patrouilles dégageaient au petit trot les barrages barbelés. Noelie entendit des appels radio codés, des crissements de pneus et des cris à la gloire du dictateur. L'habitacle sentait la sueur et la révolution. Détours paranoïaques ou tentative d'enlèvement, elle eut vraiment peur. Quand elle fut présentée à un individu au visage fermé portant traditionnel costume bédouin, Noelie n'avait plus envie d'acheter du pétrole. Elle espérait seulement qu'on lui laisse la vie sauve. Elle n'en montra rien et déclina d'une voix presque calme son identité.

— Noelie Ongaro.

— L'aviatrice?

Le visage de l'homme s'était ouvert d'un coup. Il évoqua dans la foulée son enfance, un grand-père et des poules. La légende de l'aviatrice blonde. Changement de ton radical. L'ambiance était soudain très loin du Livre vert. Noelie laissa dire, se contentant de sourires modestes.

— Ton grand-père est toujours de ce monde ? demanda-t-elle.

Il était mort.

— *Allahou akbar.* Dommage. J'aurais aimé pouvoir le saluer.

Temps recueilli.

— En sa mémoire, je suis honorée de faire des affaires avec son petit-fils, ajouta-t-elle en relevant les yeux.

Habile.

Fortiche, même.

Cela fonctionna. La nouvelle détestation libyenne de la bureaucratie et des intermédiaires aida ensuite Noelie à agir non pas avant son gouvernement mais à sa place. La Libye traitait directement avec Noelie pour l'attribution des contrats d'hydrocarbures. Il y eut encore des tampons dans une mallette, des liasses de dollars dans une autre, toujours pas d'archives officielles. Les bakchichs ricochaient des deux rives de la Méditerranée, nonchalamment portés par Noelie dans un grand panier en osier.

Sûrement pas par hasard, la maison de Porto Santo Stefano fut à nouveau changée. Cette fois, c'était bien simple, on n'aurait pu faire ni plus grand ni plus beau. Le bateau devint un majestueux gréement à trois mâts, et Ned reçut enfin l'argent qu'il lui fallait pour mener à bien son pharaonique projet.

Mon père caressait l'ambition de réaliser une comédie musicale. Une comédie musicale sous-marine. Cela n'avait jamais été tenté, qui aurait osé, Ned se sentait de taille. Il avait en tête une histoire de sirènes, des ballets, des poissons et, émergeant des coraux, de vrais acteurs-nageurs. Cela devait s'appeler *Le Goéland et la Sardine*, avec pourtant un happy end. Une cinquantaine de chansons à texte attendaient dans les tiroirs. Le week-end, mon père enrôlait tout Porto Santo Stefano pour répéter sur la plage ses chorégraphies bollywoodiennes. Ned réussit même à nous convaincre de les tenter dans l'eau. Quelque part au monde, il existe une pellicule de trois minutes de film, sur laquelle cent personnes (dont Noelie et moi-même) s'essaient à un épisode de nage synchronisée palmes aux pieds. Il fallut compter avec les vagues et les indications foutraques de mon père. Son irritation devant notre fou rire finit en colère monstre. Sur la foi du document filmé, ni la Rai ni aucun producteur n'acceptèrent de s'engager. C'était évidemment notre faute. Noelie avoua que c'était peut-être la sienne. Ned avait appris de sa mère à ne jamais abandonner une cause si on la croit juste. Personne n'acceptait de l'aider ? Il continuerait seul. Cinecittà rechignait à lui louer son bassin de tournage ? Ned en construirait un.

Tout cela exigeait beaucoup d'argent, et Noelie dut retourner plusieurs fois en Libye. Toujours avec le même succès. Le président du Conseil italien voulut la proposer à l'Ordre national du mérite pour services économiques rendus, ceux-là pas à son fils, vraiment à la nation.

— Je ne vais pas en Libye pour recevoir des bre-
loques ! Ces hypocrites au pouvoir le savent bien. Ils
savent tout…, nous dit-elle à table.

Je plaidais pour qu'elle accepte les honneurs et
les ors. Il était légitime que son pays lui témoigne
reconnaissance et la rende célèbre le temps d'un long
discours. Noelie m'envoya paître, énervée comme
rarement. Quand elle se raidissait ainsi, personne
n'insistait. Dossier brûlant, et maintenant dossier clos.
Bruno avait choisi de ne pas se prononcer ouverte-
ment. Il enjoignit seulement à sa femme de mettre les
formes à sa lettre de refus.

— Pour les ministres, il n'y a que l'argent qui
compte, continuait Noelie. Bien sûr que moi aussi j'en
gagne, mais je m'en moque ! Seule compte la beauté de
l'histoire qu'on se raconte avec. Souviens-toi de cela,
mon chaton !

J'avais vingt ans. Je fumais des joints, portais des
pantalons pattes d'éph' et je détestais l'argent. Néanmoins, j'avais hâte d'en gagner, et le dis.

— Alors fais de la politique ! cingla ma grand-mère
sur le ton de l'injure.

J'en fus surprise et blessée.

— Très bien. Je me charge de la lettre, trancha
Bruno pour ramener le calme.

Les rires recommencèrent à fuser quand chacun
tenta d'imaginer les raisons du refus à évoquer dans
la missive. Nous étions des anarchistes. Des criminels.
Les démocrates-chrétiens étaient des pourris notoires.

Ce Kadhafi, un sale type. Son pétrole, du poison. CQFD, pas de médaille.

— Merci de votre aide, sourit Bruno.

— Y a du vrai, dit Camilla, qu'on entendait rarement.

Pour donner corps à sa Jamahiriya, Kadhafi avait décidé d'armer son pays. Déjà maquis institutionnel, il deviendrait une forteresse blindée. Le dictateur ne voulait plus être dans la dépendance exclusive de l'URSS, il souhaitait varier les centrales d'achat et payait bien. Noelie sut que l'occasion était en or. Elle se posa en intermédiaire précieuse et se rendit à Paris pour amorcer les discussions. Il était crucial de rester discret, la France refusant officiellement de vendre des armes à un régime qui soutenait le terrorisme. Est-ce le général Ongaro, éminent spécialiste des questions militaires, qui trouva la faille sémantique ? Un hélicoptère Super Frelon n'est pas *stricto sensu* une arme. Et cela intéresserait tellement le colonel…

Dans l'immense jardin de sa propriété, Noelie s'était réservé un petit lopin de terre où s'isoler. À chaque retour de voyage, elle aimait y retrouver les gestes de sa jeunesse. Le rituel lui faisait un sas apaisant. À l'intérieur de son pré carré, elle se jouait des saisons, des embruns corrosifs, parfois de la grêle, et renouait avec les efforts d'Imperia pour faire pousser des fleurs. Certains soirs, elle coupait à la serpette les tiges des boutons éclos. Loin des apparences, ce n'était pas un simple bouquet qu'elle posait ensuite sur la table du salon. Avec lui, revenaient des phrases qui avaient paru simples il y a longtemps.

Ne demande pas au basilic d'avoir le goût de la sauge.

Noelie revoyait le visage immuable du père à Imperia.

La force de l'arbre ne se mesure pas à la taille de son tronc, mais à celle de ses racines.

Noelie restait assise face au bouquet, face à elle-même. Aux souvenirs.

Le soleil se lève. La lune s'en va, et malgré tout, vanno d'accordo, *ils s'entendent très bien.*

— Moi aussi, j'essaie de m'entendre. Même si je suis à la fois lune et soleil, disait ma grand-mère. Je ne me ressemble pas, ajoutait-elle.

Nonna avait parfois de ces phrases qui ne veulent rien dire, et qui la faisaient soit pleurer soit rire. Non, le vrai problème, c'était Camilla. Usée et malade, elle hésitait à mourir.

— J'attends que Noelie l'accepte.

Plusieurs rémissions la laissèrent auprès de sa fille.

— Tu dois te préparer, lui disait-elle gentiment.

Comment se préparer à dire au revoir à qui vous a vue si petite et vous a faite si grande ? Elles ne s'étaient jamais quittées et furent encore ensemble, en larmes longuement dans les bras l'une de l'autre. Noelie n'était pas prête, ne le serait jamais, ça restait Noelie.

Au lieu d'entourer le lit de sa mère de silence et de médecins, elle le faisait porter dans le parc ou sur la plage. Centaine de guirlandes clignotantes, chorale villageoise en patois ligure et salutations de dauphins joueurs. Camilla parvenait à sourire et à remercier. À l'une de ces occasions, elle m'offrit un petit cadeau, format livre. L'emballage était, comment dire, spécial. Fait main, patiemment tricoté au crochet, malencontreusement cousu sur les quatre côtés sans aucune ouverture prévue pour extraire la surprise. Il faudrait saccager la broderie. Je n'osais pas en faire la remarque à la mourante, qui s'en chargea.

— C'est exprès. Tu ne dois pas l'ouvrir. Simplement le garder. Surtout, ne dis rien à Noelie. Quand tout le monde sera mort, oui, là tu pourras lire. Pas avant. Seulement après nous tous.

Que mère et fille puissent se faire des cachotteries me surprit.

— Ta grand-mère, c'est mon enfant. Malgré ses réussites, elle est fragile, me dit Camilla. Derrière son courage, je le sais, elle est fragile.

Cette fragilité de Noelie m'avait échappé. Fallait-il contredire la douce Camilla?

— Si elle savait que ce carnet existe et que je te le donne, ça la tuerait, ajouta Camilla d'une voix faible.

Elle s'endormit, sa main dans la mienne.

Du haut d'une dune, Noelie nous regardait en souriant.

Il y avait quatre petits avec elle. Ensemble, nous sommes allés nager. Noelie voue un culte aux enfants. Ils sont lumière. Ils sont innocents. Ils ont raison. Noelie a-t-elle jamais été plus heureuse qu'entourée de bambins? Elle m'a appris à chasser les papillons. À siffler comme un gecko. À grimper aux arbres. À piloter une mobylette. Une voiture. Un bateau. À savoir reconnaître, parmi toutes les beautés cachées sous la mer, la tanière d'un poulpe. Tout simple. Si tu vois un édifice splendide, avec colonnades de bernicles empilées et petit jardin japonais à l'entrée, c'est qu'une madame poulpe vit là. Le poulpe est un esthète. Comme les enfants, il aime construire des châteaux merveilleux. Viens, mon chaton, je t'emmène en voir un.

Pour son fils aussi Noelie faisait des merveilles, avec des bénéfices plus discrets. Explorateur des mers et cinéaste, mon père restait toutefois sans emploi. Noelie avait financé la construction de son manoir pourvu d'un zoo, d'un plateau de tournage de cinéma et d'une piscine de plongée, longue de trente mètres, profonde de cinq. Ned y mettait au point une machine étrange, moitié *Vingt mille lieues sous les mers*, moitié engin du professeur Tournesol. Récupéré de la Seconde Guerre mondiale, l'insubmersible était nouvellement équipé d'un caisson à oxygène, de deux caméras pivotantes et d'hélices à propulsion, le tout avec la tête d'un approximatif cochon. Non seulement cette merveille permettrait de réaliser des prises de vues en eaux profondes, elle devait aussi être navigable au long cours. Le commandant Cousteau allait être jaloux, que dis-je, ridiculisé. Ned avait le physique d'Orson Welles et l'ambition de Kubrick. J'espérais qu'il ait aussi leur génie. Évidemment, Noelie voulait y croire.

— Suivez vos rêves, mes chatons. Suivez-les jusqu'au bout.

Mon père passait toutes ses journées à bord de son engin. Le soir, il avait parfois réussi à filmer les murs de sa piscine, plus souvent failli mourir asphyxié.

Le tournage approchait. Un vrai tournage, avec une équipe de techniciens, des rails de travelling, des objectifs anamorphiques et trois cents kilos d'appâts pour poissons. Pour que vive le rêve, Noelie s'était improvisée productrice sur ses fonds propres, aucune compagnie d'assurances n'acceptant de couvrir un projet qui dépendait pour partie de la bonne volonté d'un banc de limandes-soles. Les financiers ne connaissent rien à l'espoir ni à la pêche. Noelie croyait aux deux, et à la chance.

Qui étais-je pour lui dire de ne pas le faire ?

31

La chance a tourné.

Une nuit, Camilla a dit :

— C'est la fin.

Son corps a été ramené à Imperia. Noelie a refusé d'entrer dans la ville. Elle ne voulait pas revoir la ferme du père. Ni fureter dans les champs de fleurs ou humer les noisettes. Au cimetière, entourée de toute sa famille et d'amis venus en nombre, elle s'est sentie atrocement seule.

Pas si longtemps après, Bruno tombait malade. Lui aussi s'était dit fatigué. Il était devenu jaune. En moins de trois mois, le général était mort. On s'inquiéta vraiment pour Noelie. Minni et moi, surtout.

À nouveau, l'enterrement eut lieu à Imperia. Il y eut foule. Beaucoup de militaires de haut rang, d'hommes politiques de tous âges et de tous bords, d'amis, d'anciens aviateurs, et quelques inconnus qui avaient lu la veille dans le journal l'hommage nécrologique d'un grand homme. Y assista aussi Farah Pahlavi, mondialement connue sous le nom de Farah Diba, la toute récente veuve de Mohammad Reza Pahlavi, l'ancien chah d'Iran. Les deux couples s'étaient connus au temps du Quirinal. Les femmes avaient sympathisé. Très rapidement et tout simplement. Noelie avait été impressionnée par le fait que Téhéran ait été recouverte de pétales de rose pour la naissance du premier enfant royal, le prince héritier Reza. Farah Diba s'était follement divertie chaque fois qu'elle avait pu participer aux fêtes de Porto Santo Stefano. La reine Farah, devenue ensuite impératrice mais que l'amitié rendait simple, se confiait beaucoup à Noelie. Elle put pleurer sur son épaule lors des fausses couches qui émaillèrent ses amours avec le chah, et se réjouir avec elle des naissances heureuses. Elle put aussi raconter la tristesse de se sentir de plus en plus incomprise, non de son mari, mais de son peuple. Noelie comprenait. C'est d'ailleurs ainsi, en écoutant finement la douleur intime des autres, que Noelie se dévoilait un peu. Pour le reste, Noelie était avare de confidences et évoquait rarement sa vie passée. Elle préféra toujours regarder vers l'avant. Ces deux femmes avaient en commun l'élégance, une folle gaieté et un amour indéfectible pour leurs maris. Elles venaient de les perdre.

Quand on porta le cercueil en terre, Carla, une autre vieille amie, dit à l'oreille de Noelie qu'elle avait cru voir un caillou gêner entre le cercueil de Camilla et celui de Bruno. Noelie exigea des fossoyeurs qu'ils ressortent le cercueil. Elle pria le vieux Parolissi, resté fidèle, de descendre dans le caveau. Il claqua des talons et s'exécuta non sans peine. Quand il fut disparu dans le trou et qu'on ne vit de lui que le haut du crâne, Noelie lui demanda :

— Alors, Parolissi, ce caillou ? Vous le voyez ?

La voix de Parolissi parvenait malaisément, très assourdie par la terre.

— Non, madame Ongaro. Je ne vois rien.

Bref, finalement, il n'y avait pas de caillou. Noelie respira mieux. On aida Parolissi à ressortir, et Noelie lui épousseta vivement les épaulettes.

— Tant mieux ! Ah, je suis bien contente ! Merci, Parolissi !

L'assemblée était restée pétrifiée devant la scène. Certains avaient eu du mal à réprimer un fou rire nerveux. Ma mère et moi fûmes en revanche rassurées sur l'état de Noelie. Ce naturel torrentiel, cet entêtement aveugle, et ces égards sans mesure pour le confort de ceux qu'elle aimait, même morts, pas de doute, tout ça c'était encore bien elle.

Le tournage du *Goéland et la Sardine* avait été interrompu. L'actrice principale avait claqué la porte, ainsi que l'acteur principal, puis toute l'équipe avait suivi, Ned et son cochon de fer reprenant place au fond de la piscine. Après visionnage des cinquante secondes de rushes existants, les seuls tournés, le projet aurait dû être abandonné. Trois enterrements coup sur coup, c'en était trop pour Noelie.

Le film vivrait, décida-t-elle.

Elle engagea une nouvelle équipe technique, plus

étoffée que la première, un chorégraphe profession-
nel pour les ballets aquatiques surdimensionnés et des
acteurs hors de prix. Elle paya de sa poche des kilomètres de pellicule, des semaines de tournage. Tous
les escrocs que compte le cinéma gravitaient autour
d'elle. Elle accueillait chacun joyeusement et signait
les chèques en souriant. Tout cela représentait une
somme colossale. La perte se révéla faramineuse.

Bientôt, Noelie fut ruinée.

La maison de Porto Santo Stefano, où d'immenses
buffets de petit-déjeuner étaient servis non-stop de
8 h 30 à midi, où l'on râpait les meilleures truffes
blanches sur chaque plat, où les invités pouvaient
être une cinquantaine pour un simple déjeuner, cette
maison-là fut vendue. Ainsi que le magnifique appartement romain et tous ses meubles. Restaient deux
autres propriétés, déjà hypothéquées. C'était sans
espoir. Les banques ne prêtaient plus d'argent à Noelie. C'est pourquoi elle se tourna vers des usuriers, qui
l'achevèrent.

En apprenant les déboires financiers de Noelie, ma
mère s'inquiéta. Quand elle découvrit l'ampleur du
gouffre, elle se mit en colère. Pourquoi Noelie n'avait-
elle pas demandé d'aide ? Pourquoi n'avait-elle rien
dit ? Noelie avait toujours prétendu vouloir mettre
ses petits-enfants à l'abri du besoin. Elle aurait eu les
moyens de le faire. À une époque récente, cela ne lui
aurait rien coûté, tant sa fortune était grande.

— Tu viens au contraire de la dilapider en pure
perte ! lui dit Minni.

Noelie nuança le propos. Ce n'était pas tout à fait en pure perte. Elle avait pu rêver, et faire rêver.

Noelie m'avait parfois parlé héritage. Disait qu'elle avait peur qu'un jour tout cela ne nous embarrasse. J'en doute. Noelie m'avait transmis des choses infiniment plus précieuses que son argent. De toute façon, le problème ne se pose plus.

Ma grand-mère pensa se refaire en s'essayant au commerce des armes. En Libye bien sûr, mais aussi en Somalie, très demandeuse paraît-il. L'ancienne Abyssinie pouvait également prétendre devenir un fructueux marché. Les anciennes colonies italiennes ne méritaient-elles pas de s'armer ? Noelie tenait à les aider. La petite paysanne devenue pilote d'avion, porteuse de serviettes et trader en hydrocarbures allait-elle s'improviser vendeuse d'armes ? Quoique le parcours romanesque de ma grand-mère inclût déjà une morale souple, on était cette fois très loin du lyrisme d'un Sahara virginal. Trop. Nous avons essayé de la raisonner. De la dissuader. De l'empêcher de partir. De le lui interdire.

Pour lui changer les idées, je l'ai emmenée faire de la voltige en Cessna.

— S'élever, c'est le secret, répétait-elle souvent.

J'avais eu envie qu'elle éprouve cela à nouveau. Le directeur de l'aéroclub et moi l'avons regardée piloter pendant quinze minutes. Quand il ne s'inquiétait pas pour sa machine, il ricanait. J'essayais de garder mon calme. Ma confiance en Noelie est inébranlable. J'attendais. Bon, d'accord, cette première boucle est bien ronde. Le type commençait à se racler la gorge. Mince, ce tonneau est parfaitement axé. Oh ! Un double looping ! Après l'atterrissage, le petit monsieur était ébahi. Il n'en revenait pas. Une finesse de pilotage pareille, à plus de soixante-dix ans…

— C'est un poème, cette femme !

Un poème, je n'aurais pas su. Un portrait fidèle, j'ai essayé.

(Nonna a eu des bleus pendant deux semaines à cause du baudrier. Un baudrier cinq points, tu te rends compte, mon chaton ? Quelle merveille !)

Quelques matins plus tard, Noelie est partie.

Elle a disparu d'un coup.

À nouveau envolée.

Elle n'avait pas pris de valise, seulement son passeport. Il fallut aller à la police. Au bout de trois semaines, une enquête pour disparition inquiétante a été ouverte. J'ai dû répondre à des questions déplacées. Possible Alzheimer, éventuelles tendances suicidaires, ennemis déclarés. Tout cela ne servait à rien, j'en avais l'intime conviction. Noelie avait décidé d'une sortie à la mesure de sa vie.

J'ai été inconsolable jusqu'à ce que Minni me rappelle une phrase de Noelie.

— Le plus souvent, c'est sur soi-même que l'on pleure.

Ned a décidé de partir à sa recherche. J'ai su qu'il avait rejoint Sai Baba, un gourou indien, puis j'ai perdu sa trace.

Cela fait presque trente ans maintenant.
Il faut sans doute considérer qu'ils sont morts.
Ils n'auront pas connu mon fils.
Je l'ai appelé Noé.

32

C'est en déménageant que je suis retombée sur le cadeau de Camilla, oublié plus de vingt ans dans un carton de ma cave. J'avais tenu promesse… J'ai hésité avant de l'ouvrir. Ça m'embêtait de déchirer le napperon en crochet. Il était si joli.

Ce qui semblait un livre s'est révélé être le journal de bord libyen de Nestore Malacria. Il y raconte en une soixantaine de pages la période 1927-1933, décrit ses impressions de Cyrénaïque et de Tripolitaine, parle de son travail. Il évoque aussi Noelie.

Ma grand-mère.

1928
Je dois vraiment un fier chapeau à E.V. d'avoir proposé mon nom pour la Libye. Depuis un an que je suis là, j'ai appris à aimer ce pays. Parole d'honneur, on va le débarrasser de ses foutus Arabes. Notre petite médina est déjà aux trois quarts italienne ! On peut dire que les

rafles de Graziani font leur effet... Le type est pas un marrant du samedi soir, mais quelle trempe ! Pour l'instant, je le vois pas trop. Il finira bien par me remarquer. En attendant, faut se loger dans un taudis avec des foutus cafards qu'empêchent de dormir. Camilla et Noelie campent dans la courette. La mère est potable, sans plus. Pas de quoi me faire oublier les soirées du Gin's ! Le Régime a voulu que j'épousaille ? Ça m'oblige pas à sourire. La gosse, c'est simple, je la vomis. Quelle faute j'ai commise pour hériter d'une engeance pareille ? Si elle continue de m'emmerder avec ses réflexions de bolchevik, je jure que je la fous au bordel. C'est affreux de devoir en arriver là.

1931

Maintenant tous les gars m'appellent « la Légende », c'est marrant. C'est Tonino qu'a commencé, parce que même après deux litres de gnôle, j'embroche encore qui veut ! Graziani avait pas trop le choix que de me remarquer, c'était couru qu'il finirait par me confier un commandement... Je boude pas mon plaisir. Bottes cirées, la clope au bec, un petit compliment par-ci, une torgnole par-là, je soigne mon allure. Je suis fait pour ça, je le savais. J'ai rien à cacher : si j'avais du mal avec mes hommes, je le dirais. La vérité, c'est que je suis bon. Ils me respectent.

Cette chienne de clôture jusqu'au port de Brega est enfin finie. Trois cents kilomètres de fils barbelés, faut un peu voir le boxon... Les mitrailleuses surveillent *tous les cinq cents mètres. Ça devait être huit cents, j'ai réduit. Ordre donné de tirer à vue. Trop de civils se sont déjà barrés, suffit. Et ça empêchera leurs armes d'entrer d'Égypte. Aucune perte chez nous.*

Progrès cruciaux sur le flanc est. On peut dire qu'ils nous auront fait chier. Maintenant, on a la méthode. Dans les premiers villages, faut avouer, on tâtonnait. Le feu, c'était trop long. Ça puait le cuir (forcément !) et même la merde. Ils faisaient dans leur froc, attention, pas que les gosses... Une honte. Fallait souvent les finir au pistolet, c'était le bordel. Graziani aime pas ça. Il est dur dans son commandement, mais, avec lui, les résultats sont là.

L'excellent Marzotti a eu l'idée d'empoisonner les puits = économie de milliers de balles. On y va, bonjour, bonsoir, on balance la pastille dans la flotte, mission accomplie, on repart. À 15 heures, on est aux filles, y a pire comme vie. Si y a pas de puits, on finit le boulot à la traditionnelle. Villageois regroupés et ta-ta-ta. Ma trouvaille, c'est d'en épargner un, tant pis si ça fait grande âme. Après, faut lui tirer dans les pieds pour qu'il s'en aille, sinon à chaque fois c'est la même comédie, le type bouge pas. Mais il finit par courir rejoindre d'autres Bédouins cachés dans le sable. Pour se trouver, ils ont un sixième sens, c'est pas possible autrement. Là il parle à ses copains. Forcément il raconte tout. Si son laïus décide pas la guérilla à déposer les armes, c'est que ces gens-là ne sont pas humains. À eux de voir. En tout cas, moi, je leur aurai laissé une chance.

Noelie est encore venue m'emmerder. Sa fatma a un

problème. Des miliciens auraient défoncé la mâchoire de sa mère à coups de crosse. Et ? ? ? ?, j'ai dit. Dans quelle langue faut que je m'explique ? Je traite pas des cas individuels, je gère un problème collectif. À propos, avec Ermenegildo, on a occis toutes les foutues poules au lance-pierre. On riait comme des gosses. Ça fait du bien de temps en temps de se détendre.

1932

Je me sens de plus en plus chez moi dans cette belle Libye italienne… Au point que je me suis mis à la dessiner au fusain. Pour l'instant, c'est les palmiers que je réussis le mieux, j'en fais des forêts entières. (J'ai essayé le foutu drapé de leurs turbans ou les robes des hommes, mais les jeux d'ombre et de mouvement, non, c'est trop dur pour moi. Patience.)

Des dignitaires nazis sont venus à Tripoli. Ils voulaient voir nos camps de concentration, donc ils se sont tapé toute la traversée du désert avec nous. Évidemment, ils en ont bavé. Mais dignes. Je les avais prévenus. Le cul sur un chameau, la première fois, c'est dur.

Comme par hasard, on a eu énormément de pertes en route. La pire hécatombe de tous les convois ! À croire qu'ils le faisaient exprès. J'étais hors de moi. Après, on en a reparlé avec les Allemands. On était d'accord. C'est le protocole de tri au départ qui va pas. Les enfants, ça sert à rien de les emmener. Au bout de cent bornes, leurs petites jambes crient maman. Touareg ou pas, t'as huit ans, tu peux pas marcher 1 000 kilomètres sans rien boire ni bouffer, c'est juste pas possible.

Les nazis trouvent notre travail inspirant, ça fait plaisir. Ils ont épluché nos registres. Les chiffres, c'est universel, ça parle à tout le monde. On approche des 100 000, sur une population qu'on évalue grosso modo à 800 000. Ratio de 1 sur 8. Un peu moins que ce qu'on avait prévu. C'est parce que nos soldats ont besoin de souffler entre chaque déportation. Et avec la chaleur qu'y a en ce moment, on pourra pas augmenter notre cadence, faut pas rêver.

Hier, soirée agréable au Tropicana's. J'avais besoin de m'en mettre une bonne. Pourquoi ? Toujours pareil ! Noelie et sa mère.

J'avais l'impression qu'elles s'étaient un peu calmées... Penses-tu ! L'autre soir, c'est des miliciens qui me les ont ramenées. (J'aime bien Ermenegildo. Je connaissais pas les autres.) Elles avaient essayé de se cacher à fond de cale du Montebello en partance pour Palerme. Sous des toiles de jute ! Paraît qu'il a fallu insister pour qu'elles donnent mon nom. Bon, finalement on me les ramène. Au début la scène est drôle.

J'ai rendu son passeport à Noelie. Je lui ai dit, toi tu peux partir. Je garde Camilla. (Vraiment histoire de les emmerder... Si seulement les deux pouvaient me foutre le camp !) Une furie ! Et que je n'abandonnerai personne, et que maman viendra avec moi, toute ma vie maman ci, maman ça... Sinon je reste ! Eh bien reste, ma chérie. Mais je te préviens, dorénavant, tu vas te tenir tranquille.

La suite est plus emmerdante. Le lendemain, je les retrouve photographiées en première page de la gazette de Tripoli. Charabia sur leurs ecchymoses, le genou en vrac, les marques de fouet, tout ça. Ce pisse-merde de rédacteur en chef est pas près de sourire à nouveau… Si Graziani voit le journal, ça va l'agacer. J'ai évidemment fait le nécessaire, Noelie va rester au trou jusqu'à ce qu'elle moisisse. Vis-à-vis de la hiérarchie, ça me couvre. Quand même, pour moi, ça la fout mal. Jusqu'à quand on est responsable de ses morpions ? ? ? ?

C'est pas tout. L'autre nuit, j'ai surpris Camilla dans ma chambre, un couteau à la main. Une sorte de sabre, plus court. Je pense pas qu'elle soit vraiment dangereuse, c'est juste un air qu'elle aura voulu se donner.

1933
Faut que je la

Le carnet s'arrête comme ça.

En plein milieu d'une phrase.

Malacria a été retrouvé à son bureau, baignant dans une mare de sang, poignardé à mort.

Rodolfo Graziani fut surnommé « le Boucher ». Après le massacre des Libyens, il utilisera du gaz moutarde pour décimer la population érythréenne. Fera jeter les rebelles capturés depuis des avions en vol. Collectionnera leurs têtes dans des paniers.

Rodolfo Graziani est sans doute le pire criminel de guerre italien du XXe siècle.

L'ambitieux Malacria avait réussi à devenir son âme damnée.

Le *Signore* Malacria disait : « Un jour, mon fils fera quelque chose. » Lui était mort avant de savoir quoi.

Il n'y a jamais eu de Malacria, *podestà* de Tripoli.

Ni de quelconque conte de fées.

REMERCIEMENTS

Je voudrais remercier les *véritables* Minni et Chicca, à qui je dois tant… Annick Legoff et Charlotte Burel pour leurs lectures stimulantes; mon éditrice Capucine Ruat; Manuel Carcassonne; et François.

Merci également à toutes les maisonnées d'amis qui ont accueilli l'écriture de ce roman, Marie-France et Christian, Bernard et Zana, Jean-Paul et Geneviève, Michel et Cathoune.

Le Livre de Poche s'engage pour
l'environnement en réduisant
l'empreinte carbone de ses livres.
Celle de cet exemplaire est de :

250 g éq. CO$_2$
Rendez-vous sur
www.livredepoche-durable.fr

PAPIER À BASE DE
FIBRES CERTIFIÉES

Composition réalisée par MAURY IMPRIMEUR

Achevé d'imprimer en février 2018, en France sur Presse Offset par
Maury Imprimeur – 45330 Malesherbes
N° d'imprimeur : 225000
Dépôt légal 1ʳᵉ publication : mars 2018
LIBRAIRIE GÉNÉRALE FRANÇAISE – 21, rue du Montparnasse – 75298 Paris Cedex 06